Mosaik

Jeden Tag
ein bisschen
mehr
Weihnachten

Basteln und Dekorieren
Kochen und Backen
Singen und Vorlesen
in der Weihnachtszeit

MOSAIK VERLAG

Gruner + Jahr: Einbandvorderseite, S. 77, 92/93; S. 6/7 (Nüttgens);
The Image Bank: Einbandrückseite links (Garry Gay);
Jahreszeiten: Einbandrückseite rechts, S. 36, 57; S. 79, 144/145 (Banderob), S. 19 (Bender),
S. 59 (Bessinger), S. 76/77 (Jalag), S. 27 (Röhl), S. 15 (Rynio), S. 13 (Westermann);
M. Reiter: S. 123; Report Bilderdienst: S. 32, 41, 52 u., 55, 81 (Dietrich),
S. 8 beide, 16/17, 24, 25, 33, 40, 58, 82 (v. Salomon), S. 9, 17, 50/51, 54, 83 (Spachmann),
S. 120/121 (Stange), S. 52 Steps (Wicker);
Axel Springer: S. 34/35, 38, 39, 61, 89, 90, 143; Workman Publ.: S. 122.

Mosaik Archiv/M. Brauner: S. 12, 28, 74, 75, 97, 107, 108, 109, 114, 127, 139, 151, 154/
P. Eising: S. 26, 29/S. Rieck: S. 98, 115, 116/
R. Schmitz: S. 11, 66/67, 68, 72, 73, 96, 99, 100, 101, 111, 112, 113, 124/125,
136/137, 141, 142, 148, 149, 150, 153, 155/C. Thoma: S. 147.

Ungekürzte Buchgemeinschafts-Lizenzausgabe
der Bertelsmann Club GmbH, Rheda-Wiedenbrück,
der Bertelsmann Medien (Schweiz) AG, Zug
der Buchgemeinschaft Donauland Kremayr & Scheriau, Wien
und der angeschlossenen Buchgemeinschaften
© 1996 Mosaik Verlag GmbH, München
Redaktion: Heike Pressler, München
Layoutkonzept: Peter Pleischl, München
Aquarelle: Irmtrud Stier, Oberkirch/Baden
Bildredaktion: Helga August
Satz, Layout und Reproduktion: Alinea Editions- und Medienservice GmbH, München
Umschlag- und Einbandgestaltung: Marcella Ratajczyk
Druck und Bindung: Mohndruck Graphische Betriebe GmbH, Gütersloh
Printed in Germany
Buch-Nr. 01476 1

Stimmungsvolle Vorweihnachtzeit
Seite 6

Morgen kommt der Nikolaus
Seite 34

Selbstgemachte Geschenke
Seite 50

Weihnachtlicher Schmuck
Seite 76

Gerichte für Heiligabend
Seite 92

Weihnachten in anderen Ländern
Seite 120

Silvester und Neujahr
Seite 144

Register
Seite 158

STIMMUNGSVOLLE VORWEIHNACHTSZEIT

Die immer kürzer werdenden Tage des Spätherbstes sind so richtig dazu angetan, es sich zu Hause gemütlich zu machen. Wie könnte man diese Zeit besser nutzen, als sich mit Basteln und Backen ganz in Ruhe auf Weihnachten einzustimmen. Weihnachtliche Sträuße und Gestecke können Sie ganz einfach selbst anfertigen. Machen Sie dieses Jahr für Ihre Kinder (oder sich selbst) einmal einen Adventskalender. Die Anleitungen in diesem Kapitel sind problemlos nachzuvollziehen und werden Sie sicher noch auf Ideen bringen, ganz individuell Ihr Heim zu dekorieren. Damit Früchtebrot, Lebkuchen und vor allem Stollen wirklich gut schmecken, sollten sie möglichst einige Wochen vor dem Verzehr zubereitet werden. Es kann also nicht schaden, mit dem Backen schon Mitte November zu beginnen. Und die ersten Plätzchen möchten Sie doch schließlich auch am 1. Advent essen.

MANDARINENKUGEL

Topf oder niedriger Eimer
Eichenzweige
Mandarinen
getrocknete Orangenscheiben
Moosplatten
Schaschlikspieße
Hasendraht, Wickeldraht
dünne Schnur
Klebepistole

1. Topf oder Eimer mit Moosplatten bekleben, mit Wickeldraht fixieren.
2. Orangenscheiben auf der Schnur zu einer Borte aneinanderreihen, um das Gefäß kleben. Hasendraht zu einer Kugel formen, ins Gefäß stecken.
3. Wasser eingießen. Die Zweige auseinanderschneiden. Spieße in die Mandarinen stecken. Beides in den Hasendraht stecken.

KRANZ MIT NÜSSEN UND BEEREN

Fertiger Kranz, 35 cm Durchmesser
Fruchtstände vom Erdbeerbaum
Physalis, Walnüsse, Zapfen
Dattelbeeren
getrocknete Zitronen
Seesterne, Erdbeerschmuck
und Kugeln (fertig gekauft)
Gold- und Silberspray
Geschenkband
feiner Wickeldraht
Steckklammern, Heißkleber

1. Nüsse und Zapfen golden und silbern sprühen. Jeweils die Enden einer Steckklammer zusammendrücken und oben in eine Nuß stecken. Nüsse an den Ösen mit Draht zusammenbinden.
2. Seesterne anordnen und zusammenkleben, mit Draht versehen. Durch die Zitronen einen Draht stecken. Zweige und Beeren zu Sträußchen bündeln, Stiele mit Draht umwickeln. Auf dem Kranz anordnen und befestigen. Band mit Draht unter dem Kranz fixieren.

BUNTER NUSSKRANZ

Für 1 Kranz von
30 cm Durchmesser

Zweige von Zypressen,
Buchsbaum, Wacholder
Hagebutten
Kiefernzapfen
Ingwerwurzeln
Zimtstangen
Orange
Anissterne
verschiedene Nußsorten
Kastanien, Wickeldraht
90 cm dicker Draht
Allzweckschere
Heißkleber

1. Orange in knapp 1 cm dicke Scheiben schneiden und an einem luftigen Ort zum Trocknen auslegen. Mit einem scharfen Messer in Viertel schneiden. Orangenviertel, Zapfen, Anis, Zimtstangen und Ingwerwurzeln mit jeweils einem Stück Wickeldraht umwickeln, die Enden gut zusammendrehen und zum Befestigen stehenlassen.

2. Zweige auf ca. 10 cm Länge kürzen. Dicken Draht zu einem Ring biegen. Enden ca. 5 cm übereinanderlegen, mit Wickeldraht zusammenbinden. Die beim Schneiden abgefallenen Zweige um den Ring legen. Mit Draht festbinden. So entsteht eine Unterlage auf der es sich besser arbeiten läßt. Jeweils mehrere Zweige verschiedener Art und Gewürze, Orangenviertel und Zapfen mit den Drahtenden zu Büscheln zusammenfassen und zurechtlegen. Büschel für Büschel auf der Kranzunterlage anordnen und sorgfältig mit Wickeldraht umwickeln. So Büschel für Büschel versetzt über das letzte Büschel legen und mit Draht umwickeln. Damit der Übergang von Anfang/Ende nicht zu sehen ist, am besten einige kleingeschnittene Zweige dazwischenstecken.

3. Zum Schluß noch Nüsse und Kastanien mit Heißkleber in den Zweigen befestigen.

GEWÜRZKUCHEN

Für 16 Stücke

150 g Butter
200 g Zucker
1 Päckchen Vanillezucker
1 Prise Salz
4 Eier
1 TL geriebene Muskatnuß
1 TL gemahlene Nelken
2 TL Zimt
abgeriebene Schale von ½ Zitrone
abgeriebene Schale von ½ Orange
40 g Kakao
200 g Mehl
200 g Speisestärke
½ Päckchen Backpulver
5 EL Milch
Margarine zum Einfetten

Außerdem:
Semmelbrösel zum Ausstreuen
2 EL Puderzucker zum Bestäuben

1. Butter in einer Schüssel schaumig rühren. Nach und nach Zucker, Vanillezucker, Salz und Eier untermischen. Dann Muskat, Nelken, Zimt und abgeriebene Zitronen- und Orangenschale dazugeben. Gut durchrühren.
2. Kakao, Mehl, Speisestärke und Backpulver mischen. Nach und nach in den Teig rühren. Zum Schluß die Milch dazuschütten.
3. Eine Springform mit Margarine einfetten und mit Semmelbröseln ausstreuen. Teig hineinfüllen. In den vorgeheizten Ofen auf die mittlere Schiene schieben und bei 180 Grad 60 Minuten backen.
4. Abkühlen lassen und unmittelbar vor dem Servieren mit Puderzucker bestäuben.

Schneeflöckchen, Weißröckchen

Schneeflöckchen, Weißröckchen,
da kommst du geschneit;
du kommst aus den Wolken,
dein Weg ist so weit.

Komm, setz dich ans Fenster,
du lieblicher Stern,
malst Blumen und Blätter,
wir haben dich gern.

Schneeflöckchen, du deckst uns
die Blümelein zu,
dann schlafen sie sicher
in himmlischer Ruh'.

Volkslied

GEWÜRZKUCHEN GEFÜLLT

Für 16 Stücke

Für den Teig:
240 g Butter oder Margarine
150 g Zucker
2 TL Vanillezucker
1 Prise Salz
4 Eier
1 Msp. Piment
1 Msp. gemahlene Nelken
½ TL Zimt
80 g Sultaninen
1 EL Mehl
80 g gehackte Haselnüsse
80 g gehacktes Zitronat
400 g Mehl
3 TL Backpulver
knapp ¼ l Milch
Margarine zum Einfetten

Für die Füllung:
250 g Zucker, Salz
50 g Speisestärke
¼ l Wasser, 30 g Butter
Saft von 1 Zitrone
½ TL gemahlene Muskatblüte (Mazis)
½ TL Zimt
abgeriebene Schale von ½ Zitrone
abgeriebene Schale von 2 Orangen
250 g Kokosraspel

1. Butter oder Margarine in einer großen Schüssel schaumig schlagen. Zucker und Vanillezucker und Salz nach und nach mit den Eiern einrühren. Mit Piment, gemahlenen Nelken und Zimt würzen. Gewaschene Sultaninen gut trockentupfen. In etwas Mehl wenden. Mit den gehackten Haselnüssen und dem Zitronat in den Teig geben. Mehl mit Backpulver mischen. Nach und nach im Wechsel mit der Milch unterrühren.
2. Ein Drittel des Teiges in eine gefettete Springform geben. Im vorgeheizten Ofen auf die mittlere Schiene schieben und bei 180 Grad 30 Minuten backen.
3. Herausnehmen und abkühlen lassen. Vom restlichen Teig noch zwei Böden backen. Jeweils aus der Springform nehmen und auf einem Kuchendraht vollständig abkühlen lassen.
4. Für die Füllung Zucker mit Salz, Speisestärke und Wasser im Topf verrühren. Unter Rühren erhitzen, bis die Masse leicht dicklich wird. Butter, Zitronensaft, Gewürze und zwei Drittel der Kokosraspel hineingeben. Abkühlen lassen.
5. Die Tortenböden damit bestreichen (einen Rest übriglassen) und aufeinandersetzen. Mit der restlichen Masse den Kuchen überziehen. Mit den zurückgelassenen Kokosflocken bestreuen. Bis zum Anschneiden mindestens 10 Stunden warten.

FEINES FRÜCHTEBROT

Für 20 Scheiben

125 g getrocknete Feigen
100 g getrocknete Datteln
125 g Haselnüsse, gehackt
125 g Sultaninen
100 g Zitronat
100 g Orangeat
7 große Walnüsse
3 Eier, 125 g Zucker
2 EL Rum
125 g Mehl
1 TL Zimt, gemahlen
1 TL Backpulver

Außerdem:
etwas Butter
Semmelbrösel zum Ausstreuen

1. Feigen und Datteln in feine Streifen schneiden, Sultaninen, Kanditen und Nüsse grob bis mittelfein hacken.

2. Die Eier mit Zucker schaumig rühren, bis sich der Zucker gelöst hat. Die gehackten Früchte und Nüsse und den Rum dazu mischen. Mehl mit Zimt und Backpulver mischen und über die Masse sieben. Alles gut verkneten.

3. Eine Kastenform von 30 cm Länge mit Butter einfetten und mit Semmelbröseln ausstreuen. Den Teig in die vorbereitete Kastenform füllen und auf der zweiten Schiene von unten im vorgeheizten Ofen bei 150 Grad etwa 70–90 Minuten backen. Nach 1 Stunde Backzeit eventuell die Oberfläche mit Folie bedecken, damit sie nicht zu dunkel wird.

4. Nach dem Backen das Früchtebrot noch mindestens 15 Minuten in der Form ruhenlassen. Dann aus der Form lösen und auf einem Gitter völlig erkalten lassen. Früchtebrot in Alufolie gewickelt oder in einer Blechdose aufbewahrt, hält sich wochenlang frisch.

FRÜCHTEBROT MIT DÖRROBST

Für 30 Scheiben

100 g getrocknete Apfelringe
100 g getrocknete Aprikosen
50 g getrocknete Feigen
50 g Rosinen
je 50 g Zitronat
und Orangeat
Saft von 2 Orangen
250 g Weizenmehl (Type 1050)
250 g Weizenvollkornmehl
2 TL Lebkuchengewürz
1 Würfel Hefe
½ TL Zucker
1 Ei
1 TL Salz
200 g Paranußkerne
100 g Walnußkerne
100 g Haselnußkerne

1. Apfelringe, Aprikosen und Feigen vierteln. Mit Rosinen, Zitronat, Orangeat und Orangensaft mischen. Gut 1 Stunde ziehen lassen. Zwischendurch umrühren.

2. Mehl und Lebkuchengewürz in einer großen Schüssel mischen. In die Mitte eine Mulde drücken. Hefe hineinbröckeln. Zucker und 50 ml lauwarmes Wasser zufügen. Zu einem dünnflüssigen Vorteig verrühren. Zugedeckt ca. 30 Minuten gehen lassen.

3. Ei, Salz und 250 ml lauwarmes Wasser zum Teig geben. Alles gründlich verkneten. Der Teig soll elastisch sein und darf nicht mehr kleben. Eventuell noch etwas Wasser oder Mehl unterkneten. Zugedeckt ca. 1 Stunde gehen lassen.

4. Früchte auf einem Sieb abtropfen lassen. Fruchtsaft auffangen. Paranüsse und Walnüsse grob hacken. Fruchtmischung, Paranüsse, Walnüsse und Haselnüsse zum Teig geben und gründlich unterkneten. Nochmals zugedeckt ca. 1 Stunde gehen lassen.

5. Eine Kastenform fetten und mit Mehl ausstreuen. Teig nochmals durchkneten, eine Rolle formen und in die Kastenform legen. Zugedeckt 1 weitere Stunde gehen lassen. Der Teig muß dabei sein Volumen deutlich vergrößern.

6. Backofen auf 180 Grad vorheizen. Dabei eine flache Schüssel mit Wasser hineinstellen. Das Früchtebrot ca. 50 Minuten auf der zweiten Schiene von unten backen. Nach 30 Minuten mit dem Fruchtsaft bestreichen.

7. Brot herausnehmen, ca. 30 Minuten in der Form auskühlen lassen. Dann auf ein Gitter stürzen. Ganz auskühlen lassen. In Gefrierbeutel oder Alufolie einwickeln und 2–3 Wochen an einem kühlen Ort durchziehen lassen.

Stollen nach sächsischer Art

Für 20 Scheiben

500 g Mehl
40 g Hefe
3 EL lauwarme Milch
70 g Zucker
150 g Sahne
3 Eigelb
1 Msp. Salz
200 g weiche Butter
150 g Korinthen
50 g gemahlene Mandeln
½ TL Zimt
abgeriebene Schale von 1 Zitrone
1 Msp. geriebene Muskatnuß

Außerdem:
Butter oder Margarine zum
Einfetten
120 g Butter zum Bestreichen
100 g Puderzucker zum Bestäuben

1. Für den Teig Mehl in eine Schüssel geben, in die Mitte eine Mulde drücken. Hefe hineinbröckeln. Mit der lauwarmen Milch und etwas Zucker verrühren. Schüssel zudecken. Teig an einem warmen Platz 15 Minuten gehen lassen. Restlichen Zucker, Sahne, Eigelbe, Salz und Fett in Flöckchen zum Vorteig geben. Alles kräftig verkneten. Noch mal 15–20 Minuten gehen lassen.

2. Korinthen unter heißem Wasser waschen, mit Küchenpapier gut abtrocknen. Korinthen, Mandeln, Zimt, Zitronenschale und Muskat unter den Teig kneten.

3. Backblech einfetten. Aus dem Teig mit den Händen einen Stollen formen, auf das Blech legen und weitere 15 Minuten gehen lassen.

Einen gefalzten Streifen Alufolie in etwa 2 cm Abstand um den Stollen legen, damit er nicht auseinanderläuft. Butter zerlassen, etwas davon mit einem Pinsel auf den Stollen streichen.

4. Backblech in den vorgeheizten Ofen auf die mittlere Schiene schieben und bei 220 Grad 50 Minuten backen.

5. Den fertigen Stollen noch warm mehrmals abwechselnd mit zerlassener Butter bestreichen und mit gesiebtem Puderzucker bestäuben. Abkühlen lassen und in Alufolie wickeln.

QUARKSTOLLEN

Für 30 Scheiben

Je 150 g Butter und Zucker
2 Päckchen Vanillezucker
3 Eier
100 g getrocknete Aprikosen
100 g Orangeat
50 g Zitronat
Saft von 1 Orange
Saft von 1 Zitrone
250 g Speisequark
600 g Mehl
1 Päckchen Backpulver
125 g Rosinen
Fett für das Blech
Mehl zum Bestäuben

Außerdem:
50 g zerlassene Butter
25 g Puderzucker

1. Butter, Zucker und Vanillezucker in einer Schüssel schaumig rühren. Eier nach und nach dazugeben. Kräftig weiterrühren.
2. Aprikosen waschen, abtropfen lassen und zusammen mit Orangeat und Zitronat fein hacken. Mit Orangen- und Zitronensaft in die Schüssel geben. Quark durch ein Sieb streichen und dazugeben. Mehl und Backpulver darüberstreuen. Alles gut verrühren und kräftig kneten, bis ein fester Teig entstanden ist.
3. Rosinen in einem Sieb unter heißem Wasser gründlich abbrausen. Abtropfen lassen, mit Küchenpapier trockenreiben. In etwas Mehl wälzen und in den Teig kneten. Teig zu einem Stollen formen. Auf das eingefettete und mit Mehl bestäubte Backblech legen und in den vorgeheizten Ofen auf die mittlere Schiene schieben. Bei 200 Grad 70 Minuten backen.
4. Aus dem Ofen nehmen und noch warm mit zerlassener Butter bestreichen und mit Puderzucker bestreuen. Erkalten lassen.

APRIKOSEN-QUARK-STOLLEN

(Foto oben)

Für 30 Scheiben

1 Würfel Hefe
⅛ l lauwarme Magermilch
100 g Zucker
1 TL Vanillezucker
500 g Mehl (Type 550)
200 g Butter
1 Prise Salz
300 g getrocknete Aprikosen
250 g Magerquark
20 g Canderel

1. Hefe zerbröckeln. Mit Milch und 2 Teelöffel Zucker verrühren und ca. 15 Minuten gehen lassen.
2. Restlichen Zucker, Vanillezucker, Mehl, Fett und Salz verrühren. Die Hefemilch zugießen und alles zu einem glatten Teig verkneten. Ca. 30 Minuten gehen lassen.
3. Aprikosen würfeln. Quark und Aprikosen unter den Teig kneten. Auf bemehlter Fläche zu einem Stollen formen. Auf ein Backblech legen und nochmals ca. 30 Minuten gehen lassen. Bei 200 Grad im vorgeheizten Backofen 60–90 Minuten backen. Eventuell mit Alufolie abdecken. Stollen vollständig auskühlen lassen. Mit Canderel bestäuben.

FRÜCHTEKRANZ

Kleine bis mittelgroße Zitronen
kleine Orangen
Limonen
Kumquats
Paranüsse
Kiefernzapfen
Salalzweige
Tannenzweige
fertiger Strohkranz,
25 cm Durchmesser
dünner Draht
Blumendrahtstangen
Allzweckschere
Steckklammern

1. Tannen- und Salalzweige zurechtschneiden. Einige Tannenzweige um den Strohkranz legen und mit dünnem Draht befestigen. Die nächsten Zweige versetzt über die ersten legen, wieder umwickeln. Den ganzen Strohkranz bedecken. Salalzweige mit Klammern am Kranz befestigen.
2. Bei den Früchten immer nur die Schale durchstechen, nicht das Fruchtfleisch. Jeweils drei Kumquats auf ein Stück Blumendraht stecken, Früchte und Nüsse mit Klammern versehen. Tannenzapfen unten mit Draht umwickeln. Alles auf dem Kranz anordnen und feststecken.

Frankfurter Brenten

Mandeln, erstlich, rat ich dir,
Nimm drei Pfunde, besser vier
(Im Verhältnis nach Belieben);
Diese werden nun gestoßen
Und mit ordinären Rosen-
Wasser feinstens abgerieben.
Je aufs Pfund Mandeln akkurat
Drei Vierling Zucker ohne Gnad.
Denselben in den Mörsel bring,
Hierauf ihn durch ein Haarsieb
schwing!
Von deinen irdenen Gefäßen
Sollst du mir dann ein Ding erlesen –
Was man sonst eine Kachel nennt;

Doch sei sie neu zu diesem End!
Drein füllen wir den ganzen Plunder
Und legen frische Kohlen unter.
Jetzt rühr und rühr ohn Unterlaß,
Bis sich verdicken will die Mass,
Und rührst du eine Stunde voll:
Am eingetauchten Finger soll
Das Kleinste nicht mehr hängen
bleiben;
So lange müssen wir es treiben.
Nun aber bringe das Gebrodel
In eine Schüssel (der Poet,
Weil ihm der Reim vor allem geht,
Will schlechterdings hier einen Model,

Indes der Koch auf ersterer besteht!)
Darinne drück's zusammen gut;
Und hat es über Nacht geruht,
Sollst du's durchkneten Stück für Stück,
Auswellen messerückendick
(Je weniger Mehl du streuest ein,
Um desto besser wird es sein).
Alsdann in Formen sei's geprägt,
Wie man bei Weingebackenem pflegt;
Zuletzt – das wird der Sache frommen,
Den Bäcker scharf in Pflicht genommen,
Daß sie schön gelb vom Ofen kommen!

Eduard Mörike

GEWÜRZSTRAUSS

*Zweige von Zypressen
und Buchsbaum
Kiefernzapfen
Zimtstangen
Ingwerwurzeln
verschiedene Nußsorten
kleine Äpfel
Naturbast
Stangendraht
Allzweckschere
Heißkleber
Vase*

1. Zweige auf unterschiedliche Länge kürzen. Zu kleinen Sträußen binden und mit Draht umwickeln. Das Drahtende jeweils zu einem Stiel nach unten biegen. An den Apfelstielen Draht befestigen.

2. Jeweils 2 Zimtstangen mit einer Schleife zusammenbinden. Jeweils mehrere Sträuße zu einer kugeligen Form zusammenfügen. Äpfel dazwischenstecken. Zimtbündel in die Zweige binden. Nüsse, Zapfen und Ingwerwurzeln mit Heißkleber in den Zweigen befestigen.

NUSSPRINTEN

Für 30 Stück

Für den Teig:
125 g Honig
60 g Farinzucker
(brauner Zucker)
50 g Butter
1 Ei
50 g braune Kandisstückchen
150 g gemahlene Haselnußkerne
abgeriebene Schale von 1 Zitrone
½ TL gemahlener Zimt
½ TL gemahlene Nelken
½ TL Kardamon
250 g Mehl
½ Päckchen Backpulver
Mehl zum Ausrollen
Margarine zum Einfetten

Für die Garnitur:
100 g Kuvertüre
30 g gehackte Haselnußkerne

1. Honig, Farinzucker und Butter in einem Topf langsam erwärmen, zerlassen und abkühlen lassen. Unter die fast erkaltete Masse Ei, Kandisstückchen, Haselnüsse, Gewürze und einen Teil des Mehls rühren. Restliches Mehl mit Backpulver mischen und unterkneten. Teig 60 Minuten zugedeckt ruhenlassen.
2. Anschließend auf einem bemehlten Backbrett 1½ cm dick ausrollen. In 7 cm lange, 3 cm breite Streifen schneiden.
3. Backblech einfetten. Teigstreifen darauf legen. In den vorgeheizten Ofen auf die mittlere Schiene schieben und bei 180 Grad 20 Minuten backen.
4. In der Zwischenzeit Kuvertüre im Wasserbad erhitzen. Gehackte Haselnußkerne untermischen.
5. Printen aus dem Ofen nehmen, etwas abkühlen lassen und halb mit Kuvertüre bestreichen.

HASELNUSS-HONIGKUCHEN

Für 8 Scheiben

Für den Teig:
170 g Butter
200 g Zucker
4 Eier
2 EL Sahne
2 EL Honig
125 g gemahlene Haselnüsse
85 g Mehl
Fett für die Form

Für den Guß:
65 g dünner Honig
125 g Puderzucker
1 EL Zitronensaft
1 EL Wasser

Außerdem:
50 g geröstete Haselnüsse

1. Butter, Zucker und Eier schaumig rühren. Sahne und Honig einrühren. Haselnüsse und Mehl unterziehen.
2. Eine Kastenform von 16 cm Länge einfetten. Teig einfüllen. Form in den vorgeheizten Ofen auf die mittlere Schiene schieben und bei 180 Grad 45 Minuten backen.
3. Kuchen aus der Form lösen und auf einen Kuchendraht stürzen. Mehrmals mit einer Gabel einstechen. Die Oberfläche noch warm mit dem Honig bestreichen. Kuchen abkühlen lassen.
4. Puderzucker mit Zitronensaft und Wasser zu einem Guß verrühren. Ein Stück Pergamentpapier zu einer Spritztüte rollen. Die Spitze abschneiden. Guß in die Tüte füllen. Ein feines Gittermuster auf die Kuchenoberfläche spritzen. Die Zwischenräume mit den gerösteten Haselnüssen belegen. Guß erstarren lassen.

NÜRNBERGER LEBKUCHEN

Für 15 Stück

Für den Teig:
4 Eier
250 g Zucker
250 g abgezogene Mandeln,
fein gewiegt
4 g Mazisblüte
4 g Kardamom
5 g Zimt
2 g Nelkengewürz
abgeriebene Schale
von ½ unbehandelte Zitrone
je 25 g Zitronat und Orangeat
fein gewiegt
250 g Weizenmehl
½ TL Backpulver
15 runde Oblaten

Für den Guß:
125 g Puderzucker
1–2 EL Zitronensaft
bunter Streuzucker
oder Schokoladenstreusel
zum Bestreuen

1. Für den Teig die Eier mit dem Zucker so lange rühren, bis die Masse dick und schaumig ist. Mandeln, Gewürze, Zitronat und Orangeat sowie das mit Backpulver gesiebte Mehl hinzufügen.
2. Auf dem Backblech die Oblaten verteilen. Die Teigmasse halbfingerdick darauf streichen. Das Gebäck über Nacht stehenlassen.
3. Den Backofen auf 180 Grad vorheizen. Die Lebkuchen auf der mittleren Schiene des Backofens 20–25 Minuten backen. Puderzucker mit Zitronensaft zu einem Guß verrühren. Die Lebkuchen noch warm mit Zuckerguß bestreichen und in die Mitte etwas bunten Streuzucker oder Schokoladenstreusel geben.

PFEFFERNÜSSE

Für 100 Stück

Für den Teig:
125 g Sirup
125 g brauner Zucker
40 g Schweineschmalz
1 Ei, 1 TL Zimt
ca. ¼ gestrichenen TL weißer Pfeffer
¼ gestrichener TL gemahlene Nelken
50 g gemahlene Haselnüsse
½ TL Pottasche
½ TL Hirschhornsalz
1 EL kaltes Wasser
375 g Weizenmehl (Type 405)

Für die Garnitur:
ca. 50 g Haselnußkerne
250 g Puderzucker
1 Eiweiß
ca. 1 EL Zitronensaft
evtl. Kokosraspel und zerstoßene
Silberperlen

1. Sirup, Zucker und Schmalz in einen Topf geben und erhitzen, bis alles aufgelöst ist. Die Masse gut abkühlen lassen.
2. Ei, Gewürze und Haselnüsse zugeben. Pottasche und Hirschhornsalz im Wasser auflösen. Mit dem Mehl unterrühren. Teig abgedeckt bei Zimmertemperatur ca. 12 Stunden ruhenlassen.
3. Teig halbieren, zu 2–3 cm dicken Rollen formen und in ca. 1 cm breite Scheiben schneiden. Die Hälfte davon zu Kugeln formen und auf ein mit Backpapier belegtes Backblech legen.
4. Restliche Scheiben jeweils etwas flachdrücken, in die Mitte einen Haselnußkern geben und alles zu einer Kugel formen.
5. Im vorgeheizten Backofen bei 180 Grad auf mittlerer Schiene 8–10 Minuten backen. Herausnehmen und abkühlen lassen.

6. Puderzucker, Eiweiß und Zitronensaft verrühren. Die Hälfte der Pfeffernüsse damit bepinseln. Nach Wunsch mit Kokosraspeln und zerstoßenen Silberperlen bestreuen. Guß trocknen lassen.

KLAGENFURTER LEBZELTEN

Für 75 Stück

Für den Teig:
80 g Butter
250 g Puderzucker
1 Eigelb
1 TL geriebene Muskatnuß
1 TL gemahlene Nelken
3 gestrichene TL Zimt
375 g Honig
1 Päckchen Backpulver
knapp ⅛ l Bier
20 g Pottasche
125 g kernlose Rosinen
50 g Orangeat
50 g Zitronat
250 g gemahlene Mandeln
750 g Weizenmehl
250 g Roggenmehl
Mehl zum Ausrollen

Für die Garnitur:
1 Ei
1 TL Wasser
100 g abgezogene, halbierte
Mandeln

Außerdem:
Fett für das Blech

1. Für den Teig Butter, Puderzucker, Ei und Gewürze schaumig rühren. Nach und nach den Honig, Backpulver und die in Bier gelöste Pottasche unterrühren. Rosinen in einem Sieb unter heißem Wasser waschen, abtropfen lassen und in einem Küchentuch trockenreiben.
2. Orangeat und Zitronat fein hacken. Alles mit den gemahlenen Mandeln und der Hälfte der Mehlmenge mischen und unter den Teig rühren. Das restliche Mehl unterkneten.
3. Teig zugedeckt circa 24 Stunden bei Zimmertemperatur ruhenlassen. Teig auf der bemehlten Arbeitsfläche 3 mm dick ausrollen. Rechtecke von 4 mal 6 cm Größe ausradeln. Das Ei mit etwas Wasser verquirlen. Lebkuchen damit bestreichen. Mit je 1 Mandelhälfte belegen.
4. Lebkuchen mit reichlich Abstand auf ein gefettetes Blech legen. Der Teig reicht für vier Bleche. In den vorgeheizten Ofen auf die mittlere Schiene schieben und bei 200 Grad 20 Minuten backen.
5. Die Plätzchen sofort vom Blech lösen und auf einem Kuchendraht abkühlen lassen.

J. Shie

Verse zum Advent

Noch ist Herbst nicht ganz entflohn,
aber als Knecht Ruprecht schon
kommt der Winter hergeschritten,
und alsbald aus Schnees Mitten
klingt des Schlittenglöckleins Ton.

Und was jüngst noch, fern und nah,
bunt auf uns herniedersah,
weiß sind Türme, Dächer, Zweige,
und das Jahr geht auf die Neige,
und das schönste Fest ist da.

Tag du der Geburt des Herrn,
heute bist du uns noch fern,
aber Tannen, Engel, Fahnen
lassen uns den Tag schon ahnen,
und wir sehen schon den Stern.

Theodor Fontane

SCHOKOLADEN-LEBKUCHEN MIT NÜSSEN

Für 60 Stück

50 g kernlose Rosinen
50 g Datteln ohne Kerne
3 Eiweiß, 240 g feiner Zucker
150 g gemahlene Haselnüsse
75 g geriebene Vollmilchschokolade
1 Päckchen Vanillezucker
75 g Speisestärke

Außerdem:
60 Oblaten (Durchmesser 5 cm)
125 g Kuvertüre

1. Rosinen auf einem Sieb unter heißem Wasser waschen. In einem Küchentuch gründlich trockenreiben. Datteln grob hacken
2. Eiweiß in einer Schüssel mit Zucker steifschlagen. Gemahlene Nüsse, Schokolade, Vanillezucker, Rosinen, Datteln und Speisestärke unterheben. Oblaten auf ein Backblech legen. Teighäufchen auf die Oblaten setzen. Blech in den vorgeheizten Ofen auf die mittlere Schiene schieben und bei 180 Grad 35 Minuten backen.
3. Blech aus dem Ofen nehmen. Lebkuchen vom Blech lösen. Auf einem Kuchendraht abkühlen lassen. Kuvertüre im warmem Wasserbad auflösen. Lebkuchen damit bestreichen und den Guß erstarren lassen.

LEBKUCHEN MIT FÜLLUNG

Für 72 Stück

Für den Teig:
200 g Honig, 75 g Butter
500 g Mehl, 1 Ei
120 g Zucker, 1 Prise Salz
1 EL Rum
1 gehäufter TL Backpulver
½ TL gemahlene Nelken
1 Msp. gemahlener Kardamom
2 TL Zimt
abgeriebene Schale von ½ Zitrone

Für die Füllung:
100 g Honig
100 g geriebene Blockschokolade
200 g gemahlene Haselnüsse
2 EL Rum
250 g kernlose Rosinen
Mehl zum Ausrollen
Fett für das Blech

1. Für den Teig Honig und Butter in einem Topf unter Rühren langsam erwärmen, bis eine geschmeidige Masse entsteht. In eine Schüssel geben und etwas abkühlen lassen. Mehl, Ei, Zucker, Salz, Rum, Backpulver, die Gewürze und Zitronenschale dazugeben. Soweit wie möglich alles miteinander verrühren und dann zu einem geschmeidigen Teig kneten.
2. Für die Füllung Honig in einem Topf erwärmen, bis er flüssig wird. Schokolade, Haselnüsse und Rum unterrühren. Rosinen in einem Sieb unter heißem Wasser waschen. Abtropfen lassen und in einem Küchentuch trockenreiben. In die Füllung geben.
3. Teig auf der bemehlten Arbeitsfläche in der Breite eines Backblechs etwa 3 mm dick ausrollen. Ein Backblech einfetten. Teig halbieren und eine Teigplatte auf das Blech legen. Füllung darauf streichen und mit der zweiten Teigplatte abdecken.
4. Blech in den vorgeheizten Ofen auf die mittlere Schiene schieben und bei 180 Grad 40 Minuten backen.
5. Lebkuchen aus dem Ofen nehmen und sofort in 3 mal 6 cm große Rechtecke schneiden. Vom Blech lösen und auf einem Kuchendraht abkühlen lassen. Lebkuchen in einer verschlossenen Blechdose oder einem Steinguttopf mit Deckel aufheben. So bleiben sie einige Wochen frisch.

Leise rieselt der Schnee

1. Lei - se rie-selt der Schnee, _____ still und starr ruht der See; _____

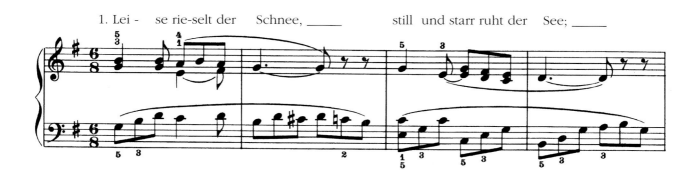

weih-nacht-lich glän-zet der Wald: _____ Freu- e dich, Christ-kind kommt bald! _____

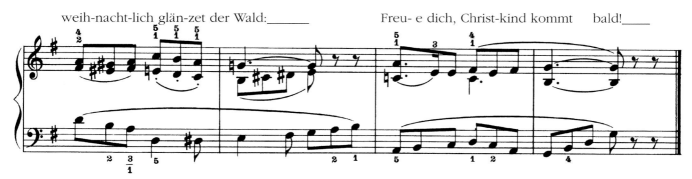

2. In dem Herzen ist's warm,
   still schweigt Kummer und Harm,
   Sorge des Lebens verhallt:
   Freue dich, Christkind kommt bald!

3. Bald ist heilige Nacht,
   Chor der Engel erwacht,
   hört nur, wie lieblich es schallt:
   Freue dich, Christkind kommt bald!

Eduard Ebel

ADVENTSKALENDER MIT WEIHNACHTS-PÄCKCHEN

Alter Bilderrahmen,
eventuell vom Flohmarkt
(z.B. 85 mal 65 cm)
4 mm starke Sperrholzplatte,
etwas größer als der Bildausschnitt
des Rahmens
weinrote Bastelfarbe
rotes, grünes und kariertes
Geschenkpapier
verschiedene Schleifenbänder
Weihnachtsaufkleber
und -anhänger
Klunker
Goldstift
Klebstoff
Bohrmaschine mit 6er Holzbohrer
Drahtstifte
Hammer
kleine Schachteln zum Verpacken

1. 24 Überraschungen in entsprechend kleine Schachteln verpacken. In Geschenkpapier einwickeln. Päckchen auf die Sperrholzplatte legen und anordnen. Zum Anbinden für jedes Päckchen 2 Löcher anzeichnen. Päckchen abnehmen und in gleicher Reihenfolge und Anordnung daneben auslegen.
2. An den markierten Stellen Löcher bohren. Eine Seite der Platte weinrot streichen. Farbe trocknen lassen. Je nach Bedarf nochmals streichen. Geschenkbänder in entsprechenden Längen zuschneiden. Enden von der Rückseite aus durch die Bohrlöcher nach vorn fädeln. Platte von hinten auf den Rahmen legen und Drahtstifte einschlagen.
3. Rahmen waagrecht legen. Päckchen auflegen. Über jedem Päckchen eine Schleife binden, nach Belieben vor dem Binden Anhänger und Klunker auf die Bänder ziehen. Päckchen von 1 bis 24 mit Goldstift numerieren. Aufkleber anbringen.

ADVENTSKALENDER

Bilderrahmen aus Holz
(60 mal 50 cm)
Schlagmetall in Kupfer
Schnellanlegemittel
1 Pinsel
1 Bürste mit weichen Borsten
Treasure Gold
(Farbe white fire)
Lappen

Bastelpapier in
verschiedenen Goldtönen
1 Lackstift in Silber
Geschenkband,
7 mm breit
24 goldene Ringschrauben
1 Bohrer
kleine Schachteln zum Verpacken
Heißkleberpistole
Federn
(erhältlich im Deko-Bedarf)

1. Anlegemittel mit einem Pinsel in kleinen Partien auf den Bilderrahmen aufstreichen. Antrocknen lassen, bis sich die Oberfläche leicht klebrig anfühlt. Schlagmetall in kleine Stückchen schneiden. Mit angefeuchteten Fingerspitzen aufnehmen und auf den Rahmen tupfen, dabei vorsichtig ziehen, so daß die Folie etwas aufbricht. Das ergibt einen Antikeffekt. Schlagmetall mit einem Lappen leicht andrücken. Rahmen über Nacht trocknen lassen.

2. Lose Metallteilchen vorsichtig abbürsten. Treasure Gold mit dem Lappen auf die noch sichtbaren Holzstellen auftupfen und verwischen. An eine Innenkante (Längskante) des Rahmens 24 Löcher in 2 cm Abständen bohren. Ringschrauben eindrehen.

3. Schachteln mit Überraschungen füllen. Alle Päckchen mit Goldpapier einpacken. Geschenkband so um die Päckchen binden, daß die Verkreuzung mittig liegt, jedoch die Bandenden bzw. Verknotung an einer Seitenkante. Federn mit Heißkleber auf dem Geschenkband befestigen. Zahlen mit Lackstift aufmalen. Päckchen an den Geschenkbändern durch die Ringschrauben fädeln. In unterschiedlichen Längen aufhängen. Bänder verknoten und kürzen.

VANILLEKIPFERL

(Foto unten)

Für 40 Stück

300 g Weizenmehl
2 Eigelb
200 g Butter
150 g geriebene Mandeln
100 g Zucker
Mehl zum Formen
60 g Puderzucker
mit Naturvanille gemischt
zum Wenden

1. Das Mehl auf die Arbeitsfläche oder auf ein Backbrett schütten, in die Mitte eine Vertiefung drücken und die Eigelbe hineingeben. Die gekühlte Butter in Flöckchen rund um das Mehl setzen, Mandeln und Zucker darüberstreuen.
2. Zuerst mit zwei Messern und dann mit beiden Händen schnell zu einem glatten Teig verkneten. Den Mürbeteig in Folie wickeln und 30 Minuten kalt stellen.
3. Aus dem Mürbeteig mit leicht bemehlten Händen kleine Kipferl (Hörnchen) formen und auf das mit Backpapier ausgelegte Blech geben. Die Kipferln auf der mittleren Schiene im vorgeheizten Backofen in 20–25 Minuten bei 175 Grad hellgelb backen.
4. Puderzucker mit dem ausgeschabten Vanillemark mischen. Die Kipferln noch warm in dem Vanillezucker wenden und schichtweise zwischen Pergamentpapier in einer Blechdose aufbewahren.

ZIMTSTERNE

Für 30 Stück

3 Eiweiß
250 g Puderzucker
oder feiner Zucker
1 EL gemahlener Zimt
2 EL Zitronensaft
oder Kirschwasser
250–300 g geschälte Mandeln
fein gemahlen

Außerdem:
Zucker zum Ausrollen

1. Eiweiß steifschlagen. Zucker nach und nach dazusieben, dabei mindestens 7 Minuten weiterschlagen, bis die Masse glänzt. Davon gut 3 Eßlöffel für die Glasur zugedeckt beiseite stellen.
2. Zimt, Zitronensaft oder Kirschwasser und Mandeln unter den restlichen Eischnee heben. Zu einer Kugel formen und zugedeckt 1 Stunde kalt stellen.
3. Teig auf Zucker oder zwischen Backpapier ½–¾ cm dick ausrollen. Sterne ausstechen, auf ein mit Backpapier belegtes Blech setzen.
4. Jeden Stern mit der Glasur bestreichen. Am besten geht es mit einem feinen Pinsel. Die Spitzen mit einer Stricknadel herausziehen.
5. Zimtsterne über Nacht bei Zimmertemperatur trocknen lassen. Dann auf der Mittelschiene im vorgeheizten Backofen bei 225 Grad 4–5 Minuten backen. Die Glasur soll dabei hell bleiben.

SÜSSES GEWÜRZGEBÄCK

Für 40 Stück

Für den Teig:
125 g Butter
125 g Zucker
1 Ei
1 Msp. geriebene Muskatnuß
1 Msp. Zimt
1 Msp. gemahlene Nelken
abgeriebene Schale von 1 Zitrone
125 g Mehl
125 g gemahlene Haselnüsse
125 g Semmel- oder Biskuitbrösel
Mehl zum Ausrollen

Für die Glasur:
200 g Puderzucker
3–4 EL Zitronensaft

Für die Garnitur:
Je 30 g Orangeat und Zitronat

1. Für den Teig Butter und Zucker schaumig rühren. Ei und die Gewürze unterrühren. Mehl, Haselnüsse und Semmel- oder Biskuitbrösel zugeben und alles zu einem glatten Teig kneten. Zugedeckt eine Stunde im Kühlschrank ruhenlassen.
2. Teig auf einer bemehlten Arbeitsfläche zu einer 4 mm dicken und 25 mal 30 cm großen Platte ausrollen. Daraus etwa 3 mal 6 cm große Rechtecke schneiden. Auf ein ungefettetes Backblech legen. Das Blech in den vorgeheizten Ofen auf die mittlere Schiene stellen. Bei 190 Grad 15–17 Minuten backen.
3. Gebäck auf einem Kuchendraht auskühlen lassen. Für den Guß gesiebten Puderzucker und Zitronensaft verrühren. Plätzchen damit bestreichen. Mit in Streifen geschnittenem Orangeat und Zitronat garnieren.

SOJAKERNTALER

(Foto oben)

Für 40 Stück

Für den Teig:
150 g Weizenvollkornmehl
50 g Honig
1 Eigelb
75 g Butter

Für den Belag:
4 EL Honig
2 gehäufte EL brauner Zucker
200 g Sojakerne

Außerdem:
etwas Mehl zum Ausrollen
Fett für das Blech

1. Mehl, Honig, Ei und Butter zu einem Teig verkneten. Zu einer Kugel formen und abgedeckt ca. 1 Stunde kühl stellen.
2. Auf einem leicht bemehlten Backbrett dünn ausrollen und ca. 40 Taler von 4 cm Durchmesser ausstechen.
3. Auf ein gefettetes Blech legen und im Backofen bei 200 Grad 5 Minuten vorbacken.
4. Für den Belag Honig und Zucker aufkochen. So lange kochen, bis der Zucker gelöst ist.
5. Sojakerne hinzufügen und unterrühren. Mit zwei Teelöffeln auf den vorgebackenen Talern verteilen und bei gleicher Temperatur weitere 10 Minuten backen.

MANDELBÖGEN

(Foto oben)

Für 50 Stück

*2 Eiweiß, 120 g Zucker
abgeriebene Schale
von 1 unbehandelten Zitrone
¼ TL gemahlener Zimt
¼ TL gemahlene Nelken
1 EL Rosenwasser
50 g gemahlene Mandeln
100 g gehackte Mandeln
etwa 6 Oblaten, 19 mal 12 cm groß*

1. Die Oblaten der Breite nach in drei gleiche Teile schneiden, daß man jeweils pro Oblate drei Stücke von etwa 6,3 mal 12 cm erhält.

2. Für die Masse die Eiweiße leicht anschlagen, dann den Zucker einrieseln lassen und weiter schlagen, bis der Schnee steif ist. Zitronenschale, Zimt, Nelken und Rosenwasser vorsichtig daruntermischen, zuletzt die gemahlenen und die gehackten Mandeln unterziehen. Die Oblatenstücke mit der Masse etwa bis zu ½ cm dick bestreichen und dann mit einem sehr scharfen Messer in 2 cm breite Streifen schneiden. Die Menge reicht für zwei Bleche.

3. Die Mandelstreifen auf das trockene Backblech legen und auf der mittleren Schiene im vorgeheizten Ofen bei 150 Grad etwa 10–12 Minuten nur leicht hellbraun backen. Sobald sie fertig sind, legt man die Mandelstreifen über das Nudelholz oder über eine angewärmte leere Flasche, damit sie eine schön gebogene Form bekommen. Auf die Seitenkante stellen und abkühlen lassen.

Wenn man die Mandelstreifen über das Nudelholz biegt, muß man sehr schnell arbeiten. Sind die Streifen abgekühlt oder zu dunkel gebacken, lassen sie sich nicht mehr biegen. Daher ist es zweckmäßig, das Blech bei ausgeschaltetem Herd nur halb aus dem Ofen zu ziehen und so etwas warm zu halten.

MANDELMAKRONEN

Für 30 Stück

*200 g gemahlene Mandeln
250 g Zucker
50 ml Milch
2 Eiweiß
30 Oblaten von 6 cm Durchmesser
100 g Hagelzucker zum Bestreuen*

1. Mandeln, Zucker und Milch unter ständigem Rühren erhitzen, aber nicht kochen lassen. So lange weiterrühren, bis sich der Zucker ganz gelöst hat. Masse abkühlen lassen. Eiweiß zu steifem Schnee schlagen und die Mandelmasse eßlöffelweise unterziehen.

2. Oblaten auf einem Backblech verteilen. Mit zwei Teelöffeln, die oft in kaltes Wasser getaucht werden, kleine Häufchen auf die Oblaten setzen. Mit Hagelzucker bestreuen. In den vorgeheizten Ofen auf die mittlere Schiene schieben und bei 180 Grad in 20 Minuten trocknen lassen.

3. Mandelmakronen auf dem Blech abkühlen lassen. Oblatenränder abbrechen.

MANDEL-SPEKULATIUS

Für 40 Stück

500 g Weizenmehl
1 Päckchen Backpulver
2 Eier
250 g Butter
250 g Zucker
150 g geriebene Mandeln
etwas abgeriebene Schale
von 1 unbehandelten Zitrone
5 g Zimt
2 g Nelkenpulver
1 g Kardamom
1 TL Kakao
Mehl zum Ausrollen

1. Das Mehl mit dem Backpulver vermischen und auf ein Backbrett schütten. In die Mitte eine Vertiefung drücken und die Eier hineingeben. Die gekühlte Butter in Flöckchen rund um das Mehl setzen. Zucker, Zitronenschale, Zimt, Nelkenpulver, Kardamom und Kakao darüberstreuen.
2. Alles schnell zu einem glatten Teig verkneten. Den Mürbeteig 30 Minuten in den Kühlschrank stellen.
3. Den Teig auf einem bemehlten Backbrett oder einer Arbeitsfläche dünn ausrollen. Die Spekulatiusformen (falls vorhanden) mit Mehl bestäuben und den Teig in die Form drücken. Die Figuren aus den Formen schlagen, den überschüssigen Teig mit einem spitzen Messer abschneiden. Man kann das Gebäck auch einfach mit Weihnachtsförmchen ausstechen.
4. Die Spekulatius auf das mit Backpapier ausgelegte Blech legen und auf der mittleren Schiene des vorgeheizten Backofens in 5 Minuten bei 200 Grad goldgelb backen.

HEIDESAND

Für 40 Stück

125 g Butter
100 g Zucker
½ Päckchen Vanillezucker
1 EL Milch oder
Kaffeesahne
175 g Mehl
½ TL Backpulver

1. Die Butter in einen mittelgroßen Topf geben, zerlassen und so lange bei schwacher Hitze erhitzen, bis sich am Boden ein brauner Satz bildet. Das dauert etwa 4 Minuten.
2. Dann den Topf vom Herd nehmen, den Satz aufrühren und die heiße Butter ziemlich lange erkalten lassen. Am besten zuerst etwa 10 Minuten abkühlen lassen und dann in den Kühlschrank stellen. Die Butter jedoch nicht zu fest werden lassen, sonst muß man später Butterklümpchen mühevoll mit Gabel oder Löffel auflösen.
3. Die erstarrte Butter wieder locker rühren und Zucker, Vanillezucker und Milch hinzufügen. Rühren, bis das Ganze hellcremig wird. Die dunklen Pünktchen (vom Bräunen der Butter) bewirken später das »sandige« Aussehen. Die Hälfte vom Mehl und das Backpulver im Topf verrühren. Die Masse in eine Schüssel umfüllen und das restliche Mehl mit den Händen in den Teig kneten.
4. Aus diesem Teig etwa 15 cm lange Rollen mit einem Durchmesser von ungefähr 3,5 cm formen. Anfangs bröckelt der Teig. Daher muß man so lange drücken und rollen, bis die Masse etwas weicher und geschmeidiger wird.
5. Die Rollen in Klarsichtfolie wickeln und etwa 1 Stunde in den Kühlschrank legen. Anschließend ein Backblech mit Backpapier auslegen.
6. Den Backofen auf mittlerer Temperatur vorheizen. Die Teigrollen nacheinander aus dem Kühlschrank nehmen, in etwa ½ cm dicke Scheiben schneiden und diese auf das Backblech, mit ungefähr 1½ cm Abstand voneinander, legen. Die Plätzchen bei 175 Grad 10–17 Minuten backen. Aus dem Ofen nehmen und auf einem Kuchengitter oder flachen Platten abkühlen lassen.

BUNTE GEWÜRZPLÄTZCHEN

Für 80 Stück

Für den Teig:
500 g Mehl
2 gestrichene TL Backpulver
2 Eier
200 g Zucker
1 Päckchen Vanillezucker
abgeriebene Schale von 1 Zitrone
250 g Margarine
75 g geriebene Haselnüsse
2 TL Lebkuchengewürz
Mehl zum Ausrollen
Fett für das Blech

Für den Guß:
150 g Puderzucker
1 EL Zitronensaft

Für die Garnitur:
Buntzucker
dicke Liebesperlen
Schokoladenstreusel
Zitronat
kandierte Kirschen

1. Mehl mit Backpulver mischen. Auf ein Backbrett geben. In die Mitte eine Mulde drücken. Eier, Zucker, Vanillezucker und die abgeriebene Zitronenschale hineingeben. Die Margarine in Flöckchen auf den Rand verteilen. Nüsse und Lebkuchengewürz ebenfalls in die Mulde geben.
2. Von außen nach innen schnell einen Mürbeteig kneten. 30 Minuten kalt stellen.
3. Teig auf bemehlter Arbeitsfläche 34 mm dick ausrollen. Beliebige Formen ausstechen.

4. Auf einem gefetteten Blech in den vorgeheizten Ofen schieben und bei 200 Grad 15 Minuten backen.
5. Für die Glasur Puderzucker mit Zitronensaft glatt verrühren. Die Plätzchen in der Mitte damit überziehen. Mit Buntzucker, Liebesperlen, Schokoladenstreuseln, Zitronat und kandierten Kirschen belegen.

1. Backton auf einer mit Pergamentpapier ausgelegten Arbeitsfläche 5 mm dick ausrollen. Sterne ausstechen. Sterne abheben und an den Blumentopf drücken, damit die Sterne sich der Topfform angleichen. Antrocknen lassen. Sterne vorsichtig abnehmen. Über Nacht trocknen lassen.

2. Auf ein Backblech legen und bei 130 Grad im Backofen 30 Minuten backen. Erkalten lassen und mit Heißkleber auf den Topf kleben. Topf mit der Öffnung nach oben gerichtet mittig auf die Unterseite des Untersetzers stellen und befestigen.

3. Steckmoos in den Untersetzer einpassen. Zweige auf unterschiedliche Länge kürzen und in das Moos stecken. Aufhängung von den Christbaumkugeln entfernen und auf die Holzstäbe setzen. Äpfel mit Bouillondraht umwickeln. Zimtstangen zu einem Bündel fassen und mit Bast zusammenhalten. Alles dekorativ zwischen das Tannengrün legen und stecken. Zuletzt die Efeuranken dazustecken, so daß sie über den Rand hängen.

DUFTKRANZ AUS EUKALYPTUS
(Foto rechts)

Ca. 10 Eukalyptuszweige mit Blüten
getrocknete Eukalyptusfrüchte
an Zweigen
Strohkranz, 30 cm Durchmesser
Bindedraht

Eukalyptuszweige auf ca. 15 cm Länge zurechtschneiden. Mit dem Bindedraht auf dem Strohkranz befestigen, zwischen die Blätter einzelne Zweige mit getrockneten Eukalyptusfrüchten stecken.

WEIHNACHTLICHE SCHALE

1 Tonuntersetzer,
30 cm Durchmesser
1 schmaler Tontopf,
14 cm hoch
Backton
Stern-Ausstechform
1 Nudelholz oder Flasche
Pergamentpapier

1 Heißkleberpistole
Bast
Zimtstangen
Äpfel
Bouillondraht
Christbaumkugeln
passende Rundholzstäbe
1 Gartenschere
Steckmoos
Zweige von Buchsbaum
Kiefer, Zeder und Tanne
Efeuranken

MORGEN KOMMT DER NIKOLAUS

Der Brauch, daß der Nikolaus in Begleitung des Knecht Ruprecht am 6. Dezember den braven Kindern Äpfel, Nüsse und andere Geschenke bringt, ist bereits seit dem 12. Jahrhundert in Mitteleuropa verbreitet. In der Gestalt des Heiligen Nikolaus wird dem im 4. Jahrhundert im lykischen Myra (das heutige Demre) wirkenden Bischof Nikolaus gedacht. In Demre kann man heute noch die Nikolausbasilika besichtigen. Das Grabmal allerdings, das sich in der Kirche von Adalia (heute Antalya) befand, wurde im Mittelalter von italienischen Piraten geplündert; seit 1087 sind die Reliquien in Bari, und von Italien aus begann die Verehrung des Nikolaus im europäischen Raum. In der letzten Zeit hat sich die Gestalt des Heiligen immer mehr zum Weihnachtsmann gewandelt, der etwa in den USA in der Figur des Santa Claus erst am Weihnachtsmorgen die Geschenke bringt.

STUTENKERL ODER STUTENFRAU

Für 1 Figur

Für den Teig:
500 g Mehl
1 Päckchen Trockenbackhefe
¼ l lauwarme Milch
½ TL Zucker
½ TL Salz
75 g Margarine oder Butter
1 Ei

Für die Verzierung:
Rosinen
Korinthen
Belegkirschen
ganze und gehackte Haselnüsse
Haselnußkrokant
Kokosflocken
Pinienkerne
Zitronat
Orangeat

Zum Bestreichen:
½ Eigelb
½ EL Milch

1. Mehl und Hefe gut mischen. Milch, Zucker, Salz, Fett und Ei zufügen. Alles mit den Knethaken des Handrührgerätes zu einem glatten, glänzenden Teig verarbeiten. An einem warmen Ort ca. 30 Minuten zugedeckt gehen lassen.
2. Danach noch einmal durchkneten. Etwas Teig abnehmen für die Verzierungen. Aus dem großen Teigstück einen Kopf mit Rumpf formen. Oberteil rechts und links einschneiden und daraus Arme formen. Beim Stutenkerl auch nach unten einschneiden und Beine formen. Backtrennpapier unter die Figur schieben und aufs Backblech überheben.
3. Nun die Verzierungen aus Teig (z. B. Zöpfe, Kordeln, Kopfbedeckung) formen. Stutenkerl oder -frau mit Wasser bepinseln. Teig- und andere Verzierungen (wie auf dem Foto) darauf legen bzw. streuen. Zugedeckt ca. 30 Minuten gehen lassen.
4. Bei 200 Grad im Backofen ca. 30 Minuten backen. 10 Minuten vor Backzeitende Eigelb und Milch verquirlen und die Figur damit bepinseln.
Stutenfiguren schmecken frisch am besten.

Der Traum

Ich lag und schlief: da träumte mir
ein wunderschöner Traum:
Es stand auf unserem Tisch vor mir
ein hoher Weihnachtsbaum.

Und bunte Lichter ohne Zahl,
die brannten ringsumher;
die Zweige waren allzumal
von goldnen Äpfeln schwer.

Und Zuckerpuppen hingen dran;
das war mal eine Pracht!
Da gab's, was ich nur wünschen kann
und was mir Freude macht.

Und als ich nach dem Baume sah
und ganz verwundert stand,
nach einem Apfel griff ich da,
und alles, alles schwand.

Da wacht' ich auf aus meinem Traum,
und dunkel war's um mich.
Du lieber, schöner Weihnachtsbaum,
sag an, wo find' ich dich?

Da war es just, als rief' er mir:
»Du darfst nur artig sein;
dann steh' ich wiederum vor dir;
jetzt aber schlaf nur ein!

Und wenn du folgst und artig bist,
dann ist erfüllt dein Traum,
dann bringet dir der Heil'ge Christ
den schönsten Weihnachtsbaum.«

August Heinrich
Hoffmann von Fallersleben

LEBKUCHENSTIEFEL

**Für 1 großen oder
5 kleinere Stiefel**

Für den Teig:
250 g Honig
100 g brauner Zucker
50 g Butter
oder Margarine
350 g Mehl
100 g gemahlene Mandeln
1 Päckchen Backpulver
1 Tüte Lebkuchengewürz (15 g)

Für die Verzierung:
250 g Marzipanrohmasse
2 Eiweiß
Mandeln und
Nüsse

1. Honig, Zucker und Fett in einen Topf geben und unter Rühren erhitzen, handwarm abkühlen lassen. Mehl, gemahlene Mandeln, Backpulver und Gewürz in einer Rührschüssel vermischen. Die Honig-Fett-Mischung mit den Knethaken darunterrühren.

2. Den Teig auf bemehlter Arbeitsfläche etwa 5 mm dick ausrollen. Den Umriß eines Stiefels in Backblechgröße auf ein Stück Papier zeichnen, ausschneiden und auf den Teig legen. Mit einem spitzen Messer die Konturen aus dem Teig schneiden. Den Stiefel auf Backpapier legen und auf das Backblech plazieren.

3. Die Marzipanrohmasse mit 2 verquirlten Eiweiß verrühren, in einen Spritzbeutel mit kleiner Sterntülle füllen und wie auf dem Foto auf den Stiefel spritzen. Aus den Teigabschnitten kleine Sterne ausstechen und diese mit Eiweiß »aufkleben«. Die Nüsse und Kerne mit Eiweiß aufkleben und etwas in den Teig drücken. Das übriggebliebene Eiweiß mit 1 Eßlöffel Wasser verquirlen und den Teig einpinseln.

4. Das Blech in den vorgeheizten Backofen schieben und etwa 15 Minuten bei 180 Grad backen. Auf einem Kuchengitter auskühlen lassen.

Aus dem Teigabschnitt kleine Herzen ausstechen, einpinseln, mit Nüssen belegen und mitbacken – oder später mit Oblaten versehen und verschenken.

Knecht Ruprecht

»Von drauß' vom Walde komm ich her,
Ich muß euch sagen, es weihnachtet sehr!
Allüberall auf den Tannenspitzen
Sah ich goldene Lichtlein sitzen.
Und droben aus dem Himmeltor
Sah mit großen Augen das Christkind hervor.
Und wie ich so strolcht' durch den dichten Tann,
Da rief's mich mit heller Stimme an;
›Knecht Ruprecht‹, rief es, ›alter Gesell,
Hebe die Beine und spute dich schnell!
Die Kerzen fangen zu brennen an,
Das Himmelstor ist aufgetan,
Alt' und Junge sollen nun
Von der Jagd des Lebens einmal ruhn;
Und morgen flieg ich hinab zur Erden,
Denn es soll wieder Weihnachten werden!‹
Ich sprach: ›O, lieber Herre Christ,

Meine Reise fast zu Ende ist;
Ich soll nur noch in diese Stadt,
Wo's eitel brave Kinder hat.‹
›Hast denn das Säcklein auch bei dir?‹
Ich sprach: ›Das Säcklein, das ist hier;
Denn Apfel, Nuß und Mandelkern
Fressen fromme Kinder gern!‹
›Hast denn die Rute auch bei dir?‹
Ich sprach: ›Die Rute, die ist hier!
Doch für die Kinder nur, die schlechten,
Die trifft sie auf den Teil, den rechten!‹
Christkindlein sprach: ›So ist es recht,
So geh mit Gott mein treuer Knecht!‹
Von drauß' vom Walde komm ich her;
Ich muß euch sagen, es weihnachtet sehr!
Nun sprecht, wie ich's hierinnen find?
Sind's gute Kind, sind's böse Kind?

Theodor Storm
(aus: Unter dem Tannenbaum)

NIKOLAUSSTIEFEL

Für ca. 4 Figuren

Für den Teig:
250 g feines Weizenvollkornmehl
(Type 1050)
1 TL Weinstein-Backpulver
(Reformhaus)
1 TL Lebkuchengewürz
Mark von 1 Vanilleschote
80 g weiche Butter
2 EL Nußlikör
4 EL Zuckerrübensirup
50 g Crème double

Für die Verzierung:
200 g Puderzucker
1 Eiweiß
rote Speisestärke (ersatzweise
Rote-Bete-Saft –
dann das Eiweiß weglassen)

1. Alle Teigzutaten mit den Knethaken des elektrischen Handrührers zu einem Teig verkneten, mit
den Händen eine Kugel formen

und den Teig in Folie gewickelt
ca. 1 Stunde kühl ruhenlassen.
2. Den Teig zwischen Klarsichtfolie
5 mm dick ausrollen. 4 Stiefel ausschneiden (eventuell vorher mit
Papier eine Schablone zeichnen). Die Stiefel auf ein mit
Backpapier ausgelegtes Blech
setzen. Im vorgeheizten
Backofen bei 175 Grad
etwa 15 Minuten backen.
3. Auf einem Kuchen-
gitter abkühlen las-
sen. Puderzucker
mit leicht schau-
mig geschla-
genem Ei-
weiß
verrühren;
zwei Drittel
davon rot
einfärben.
Weiße Stulpen
auf den Stiefel-
schaft spritzen,
den Rest rot aus-
malen.

Aus den Teigresten vom Nikolausstiefel lassen sich ganz
einfach diese putzigen Mini-
Nikoläuse backen:
Dreiecke ausschneiden, in
den Backofen geben, ab-
kühlen lassen und mit
buntem Zuckerguß ver-
zieren. Ein hübsches
Mitbringsel – oder
Dekoration für
den Frühstück-
stisch am Ni-
kolaustag.

Backzeit:
10 Minuten
bei 175 Grad.

BEMALTE WEIHNACHTSDOSEN

*Holzdosen
in verschiedenen Größen
Plakafarben
in Pastelltönen und Weiß
Schablonen mit Weihnachtsmotiven
(Bastelbedarf)
Flachpinsel
Stupfpinsel
Stencil-Farben (Bastelbedarf)
kleines Teesieb
Zahnbürste*

1. Plakafarben zum gewünschten Farbton mischen. Mit dem Flachpinsel die Dosen innen und außen farbig grundieren.
2. Nach dem Trocknen die Schablonen auflegen (evtl. mit Klebstreifen befestigen) und mit dem Stupfpinsel die Stencil-Farben aufstupfen (nicht streichen, da sonst die Farbe unter die Schablonenränder gelangt). Stencil-Farben gut trocknen lassen.
3. Nacheinander weiße und mittelgraue Plakafarbe mit der Zahnbürste aufnehmen. Um die Motive herum die Farben aufspritzen, dazu die Zahnbürste über ein Sieb streichen (vorher über einem Papier ausprobieren).

COUNTRY-STIEFEL

*Nikolausstiefel aus Plastik
oder Pappe
Lorbeerblätter
Erlenzapfen
Moosplatten
Basteldraht in Gold
Bast
1 Heißkleberpistole
Kordel in Gold*

1. Lorbeerblätter von der Stiefel-
spitze aus beginnend schuppenar-
tig mit Heißkleber auf einen Stiefel
kleben. Die Blätter werden durch
den Heißkleber weich und lassen
sich gut biegen. Um den oberen
Stiefelrand einen Baststrang legen
und verknoten.
2. Erlenzapfen von den Stielen
schneiden und dicht an dicht mit
Heißkleber auf einen Stiefel kleben. Aus Bast eine Schnur flechten.
Ca. 4 cm unterhalb des Randes um
den Stiefel legen. Enden zur
Schleife binden.
3. Moosplatten in kleine Stücke
zerteilen und mit Heißkleber rundherum auf einen Stiefel kleben.
Damit das Moos nicht so leicht ab-
geht, den Stiefel mit Draht umwickeln. Zur Verzierung eine Kordel um den Stiefel knoten.

Nußknacker und Mausekönig

Ich wende mich an dich selbst, sehr geneigter Leser oder Zuhörer Fritz – Theodor – Ernst – oder wie du sonst heißen magst, und bitte dich, daß du dir deinen letzten, mit schönen, bunten Gaben reich geschmückten Weihnachtstisch recht lebhaft vor Augen bringen mögest, dann wirst du es dir wohl auch denken können, wie die Kinder mit glänzenden Augen ganz verstummt stehenbleiben, wie erst nach einer Weile Marie mit einem tiefen Seufzer rief: »Ach, wie schön – ach, wie schön!« und Fritz einige Luftsprünge versuchte, die ihm überaus wohl gerieten. Aber die Kinder mußten auch das ganze Jahr über besonders artig und fromm gewesen sein, denn nie war ihnen so viel Schönes, Herrliches einbeschert worden als dieses Mal.

Der große Tannenbaum in der Mitte trug viele goldne und silberne Äpfel, und wie Knospen und Blüten keimten Zuckermandeln und bunte Bonbons und was es sonst noch für schönes Naschwerk gibt, aus allen Ästen. Als das Schönste an dem Wunderbaum mußte aber wohl gerühmt werden, daß in seinen dunklen Zweigen hundert kleine Lichter wie Sternlein funkelten und er selbst, in sich hinein- und herausleuchtend, die Kinder freundlich einlud, seine Blüten und Früchte zu pflücken. Um den Baum umher glänzte alles sehr bunt und herrlich – was es da alles für schöne Sachen gab – ja, wer das zu beschreiben vermöchte!

Marie erblickte die zierlichsten Puppen, allerlei saubere, kleine Gerätschaften, und was vor allem schön anzusehen war, ein seidenes Kleidchen, mit bunten Bändern zierlich geschmückt, hing an einem Gestell so der kleinen Marie vor Augen, daß sie es von allen Seiten betrachten konnte, und das tat sie den auch, indem sie ein Mal über das andere ausrief: »Ach, das schöne, ach das liebe – liebe Kleidchen; und das werde ich – ganz gewiß – das werde ich wirklich anziehen dürfen!« – Fritz hatte indessen schon, drei- oder viermal um den Tisch herumgaloppierend und -trabend, den neuen Fuchs versucht, den er in der Tat am Tische angezäumt gefunden. Wieder absteigend, meinte er, es sei eine wilde Bestie, das täte aber nichts, er wolle ihn schon kriegen, und musterte die neue Schwadron Husaren, die sehr prächtig in Rot und Gold gekleidet waren, lauter silberne Waffen trugen und auf solchen weiß glänzenden Pferden ritten, daß man beinahe hätte glauben sollen, auch diese seien von purem Silber. Eben wollten die Kinder, etwas ruhiger geworden, über die Bilderbücher her, die aufgeschlagen waren, daß man allerlei sehr schöne Blumen und bunte Menschen, ja auch allerliebste, spielende Kinder, so natürlich gemalt, als lebten und sprächen sie wirklich, gleich anschauen konnte. Ja, eben wollten die Kinder über diese wunderbaren Bücher her, als nochmals geklingelt wurde. Sie wußten, daß nun der Pate Droßelmeier einbescheren würde, und liefen nach dem an der Wand stehenden Tisch. Schnell wurde der Schirm, hinter dem er so lange versteckt gewesen, weggenommen. Was erblickten da die Kinder! Auf einem grünen, mit bunten Blumen geschmückten Rasenplatz stand ein sehr herrliches Schloß mit vielen Spiegelfenstern und goldnen Türmen. Ein Glockenspiel ließ sich hören, Türen und Fenster gingen auf, und man sah, wie sehr kleine, aber zierliche Herrn und Damen mit Federhüten und langen Schleppkleidern in den Sälen herumspazierten. In dem Mittelsaal, der ganz in Feuer zu stehen schien – so viel Lichterchen brannten an silbernen Kronleuchtern –, tanzten Kinder in kurzen Wämschen und Röckchen nach dem Glockenspiel. Ein Herr in einem smaragdenen Mantel sah oft durch ein Fenster, winkte heraus und verschwand wieder, sowie auch Pate Droßelmeier selbst, aber kaum viel höher als Papas Daumen, zuweilen unten an der Tür des Schlosses stand und wieder hineinging. Fritz hatte mit auf den Tisch gestemmten Armen das schöne Schloß und die tanzenden und spazierenden Figürchen angesehen, dann sprach er: »Pate Droßelmeier! Laß mich mal hineingehen in dein Schloß!« – Der Obergerichtsrat bedeutete ihn, daß das nun ganz und gar nicht anginge. Er hatte auch recht, denn es war töricht von Fritzen, daß er in ein Schloß gehen wollte, welches überhaupt mitsamt seinen goldnen Türmchen nicht so hoch war, als er selbst. Fritz sah das auch ein. Nach einer Weile, als immerfort auf dieselbe Weise die Herrn und Damen hin und her spazierten, die Kinder tanzten, der smaragdne Mann zu demselben Fenster heraussah, Pate Droßelmeier vor die Türe trat, da rief Fritz ungeduldig: »Pate Droßelmeier, nun komm mal zu der andern Tür da drüben heraus.« – »Das geht nicht, liebes Fritzchen«, erwiderte der Obergerichtsrat. – »Nun, so laß mal«, sprach Fritz weiter, »laß mal den grünen Mann, der so oft herausguckt, mit den andern herumspazieren.« – »Das geht auch nicht«, erwiderte der Obergerichtsrat aufs neue. »So sollen die Kinder herunterkommen«, rief Fritz, »ich will sie näher besehen.« – »Ei, das geht alles nicht«, sprach der Obergerichtsrat verdrießlich, »wie die Mechanik nun einmal gemacht ist, muß sie bleiben.« – »So-o?« fragte Fritz mit gedehntem Ton, »das geht alles nicht? Hör mal,

Pate Droßelmeier, wenn deine kleinen geputzten Dinger in dem Schlosse nichts mehr können als immer dasselbe, da taugen sie nicht viel, und ich frage nicht sonderlich nach ihnen. – Nein, da lob' ich mir meine Husaren, die müssen manövrieren vorwärts, rückwärts, wie ich's haben will, und sind in kein Haus gesperrt.« Und damit sprang er fort an den Weihnachtstisch und ließ seine Eskadron auf den silbernen Pferden hin und her trottieren und schwenken und einhauen und feuern nach Herzenslust. Auch Marie hatte sich sachte fortgeschlichen, denn auch sie wurde des Herumgehens und Tanzens der Püppchen im Schlosse bald überdrüssig und mochte es, da sie sehr artig und gut war, nur nicht so merken lassen wie Bruder Fritz.

Der Obergerichtsrat Droßelmeier sprach ziemlich verdrießlich zu den Eltern: »Für unständige Kinder ist solch künstliches Werk nicht, ich will nur mein Schloß wieder einpacken«; doch die Mutter trat hinzu und ließ sich den inneren Bau und das wunderbare, sehr künstliche Räderwerk zeigen, wodurch die kleinen Püppchen in Bewegung gesetzt wurden. Der Rat nahm alles auseinander und setzte es wieder zusammen. Dabei war er wieder ganz heiter geworden und schenkte den Kindern noch einige schöne, braune Männer und Frauen mit goldnen Gesichtern, Händen und Beinen. Sie waren sämtlich aus Thorn und rochen so süß und angenehm wie Pfefferkuchen, worüber Fritz und Marie sich sehr erfreuten. Schwester Luise hatte, wie es die Mutter gewollt, das schöne Kleid angezogen, welches ihr einbeschert worden, und sah wunderhübsch aus, aber Marie meinte, als sie auch ihr Kleid anziehen sollte, sie möchte es lieber noch ein bißchen so ansehen. Man erlaubte ihr das gern.

Eigentlich mochte Marie sich deshalb gar nicht von dem Weihnachtstisch trennen, weil sie eben etwas noch nicht Bemerktes entdeckt hatte. Durch das Ausrücken von Fritzchens Husaren, die dicht an dem Baum in Parade gehalten, war nämlich ein sehr vortrefflicher kleiner Mann sichtbar geworden, der still und bescheiden dastand, als erwarte er ruhig, wenn die Reihe an ihn kommen werde. Gegen seinen Wuchs wäre freilich vieles einzuwenden gewesen, denn abgesehen davon, daß der etwas lange, starke Oberleib nicht recht zu den kleinen, dünnen Beinchen passen wollte, so schien auch der Kopf bei weitem zu groß. Vieles machte die propre Kleidung gut, welche auf einen Mann von Geschmack und Bildung schließen ließ. Er trug nämlich ein sehr schönes, violett glänzendes Husarenjäckchen mit vielen weißen Schnüren und Knöpfchen, ebensolche Beinkleider und die schönsten Stiefelchen, die jemals an die Füße eines Studenten, ja wohl gar eines Offiziers gekommen sind. Sie saßen an den zierlichen Beinchen so knapp angegossen, als wären sie darauf gemalt. Komisch war es zwar, daß

er zu dieser Kleidung sich hinten einen schmalen, unbehol-
fenen Mantel, der recht aussah wie von Holz, angehängt
und ein Bergmannsmützchen aufgesetzt hatte, indessen
dachte Marie daran, daß Pate Droßelmeier ja auch einen
sehr schlechten Matin umhänge und eine fatale Mütze
aufsetze, dabei aber doch ein gar lieber Pate sei. Auch
stellte Marie die Betrachtung an, daß Pate Droßelmeier, trüge er sich auch übrigens so zierlich wie
der Kleine, doch nicht einmal so hübsch als er
aussehen werden. Indem Marie den netten
Mann, den sie auf den ersten Blick liebgewon-
nen, immer mehr und mehr ansah, da wurde
sie erst recht inne, welche Gutmütigkeit auf
seinem Gesichte lag. Aus den hellgrünen,
etwas zu großen hervorstehenden Augen
sprach nichts als Freundschaft und Wohlwol-
len. Es stand dem Manne gut, daß sich um
sein Kinn ein wohlfrisierter Bart von weißer
Baumwolle legte, denn um so mehr konnte
man das süße Lächeln des hochroten Mun-
des bemerken.

»Ach!« rief Marie endlich aus, »ach, lieber
Vater, wem gehört denn der allerliebste
kleine Mann dort am Baum?« – »Der«, antwor-
tete der Vater, »der, liebes Kind, soll für euch alle
tüchtig arbeiten, er soll euch fein die harten
Nüsse aufbeißen, und er gehört Luisen ebensogut als dir und dem Fritz.« Damit nahm ihn der
Vater behutsam vom Tische, und indem er den
hölzernen Mantel in die Höhe hob, sperrte das
Männlein den Mund weit, weit auf und zeigte
zwei Reihen sehr weißer, spitzer Zähnchen.
Marie schob auf des Vaters Ge-
heiß eine Nuß hinein und
– knack – hatte sie der
Mann zerbissen, daß
die Schalen abfielen
und Marie den süßen
Kern in die Hand be-
kam. Nun mußte wohl
jeder und auch Marie
wissen, daß der zierliche,
kleine Mann aus dem Ge-
schlecht der Nußknacker abstammte
und die Profession seiner Vorfahren trieb. Sie
jauchzte auf vor Freude, da sprach der Vater:

45

»Da dir, liebe Marie, Freund Nußknacker so sehr gefällt, so sollst du ihn auch besonders hüten und schützen, unerachtet, wie ich gesagt, Luise und Fritz ihn mit ebenso vielem Recht brauchen können als du!«

Marie nahm ihn sogleich in den Arm und ließ ihn Nüsse aufknacken, doch suchte sie die kleinsten aus, damit das Männlein nicht so weit den Mund aufsperren durfte, welches ihm doch im Grunde nicht gut stand. Luise gesellte sich zu ihr, und auch für sie mußte Freund Nußknacker seine Dienste verrichten, welches er gern zu tun schien, da er immerfort sehr freundlich lächelte. Fritz war unterdessen vom vielen Exerzieren und Reiten müde geworden, und da er so lustig Nüsse knacken hörte, sprang er hin zu den Schwestern und lachte recht von Herzen über den kleinen, drolligen Mann, der nun, da Fritz auch Nüsse essen wollte, von Hand zu Hand ging und gar nicht aufhören konnte mit Auf- und Zuschnappen. Fritz schob immer die größten und härtsten Nüsse hinein, aber mit einem Male ging es – krack – krack – und drei Zähnchen fielen aus des Nußknackers Munde, und sein ganzes Unterkinn war lose und wacklig. »Ach, mein armer, lieber Nußknacker!« schrie Marie laut und nahm ihn dem Fritz aus den Händen. »Das ist ein einfältiger, dummer Bursche«, sprach Fritz. »Will Nußknacker sein und hat kein ordentliches Gebiß – mag wohl auch sein Handwerk gar nicht verstehn. – Gib ihn nur her, Marie! Er soll mir Nüsse zerbeißen, verliert er auch noch die übrigen Zähne, ja das ganze Kinn obendrein, was ist an dem Taugenichts gelegen.« – »Nein, nein«, rief Marie weinend, »du bekommst ihn nicht, meinen lieben Nußknacker, sieh nur her, wie er mich so wehmütig anschaut und mir sein wundes Mündchen zeigt! – Aber du bist ein hartherziger Mensch – du schlägst deine Pferde und läßt wohl gar einen Soldaten totschießen.« – »Das muß so sein, das verstehst du nicht«, rief Fritz; »aber der Nußknacker gehört ebensogut mir als dir, gib ihn nur her.« – Marie fing an heftig zu weinen und wickelte den kranken Nußknacker schnell in ihr kleines Taschentuch ein.

Die Eltern kamen mit dem Paten Droßelmeier herein. Dieser nahm zu Mariens Leidwesen Fritzens Partie. Der Vater sagte aber: »Ich habe den Nußknacker ausdrücklich unter Mariens Schutz gestellt, und da, wie ich sehe, er dessen eben jetzt bedarf, so hat sie volle Macht über ihn, ohne daß jemand dreinzureden hat. Übrigens, wundert es mich sehr von Fritzen, daß er von einem im Dienst Erkrankten noch fernere Dienste verlangt. Als guter Militär sollte er doch wohl wissen, daß man Verwundete niemals in Reihe und Glied stellt?« – Fritz war sehr beschämt und schlich, ohne sich weiter um Nüsse und Nußknacker zu bekümmern, fort an die andere Seite des

Tisches, wo seine Husaren, nachdem sie gehörige Vorposten ausgestellt hatten, ins Nachtquartier gezogen waren.

Marie suchte Nußknackers verlorene Zähnchen zusammen, um das kranke Kinn hatte sie ein hübsches, weißes Band, das sie von ihrem Kleidchen abgelöst, gebunden und dann den armen Kleinen, der sehr blaß und erschrocken aussah, noch sorgfältiger als vorher in ihr Tuch eingewickelt. So hielt sie ihn, wie ein kleines Kind wiegend, in den Armen und besah die schönen Bilder des neuen Bilderbuchs, das heute unter den andern vielen Gaben lag. Sie wurde, wie es sonst gar nicht ihr Art war, recht böse, als Pate Droßelmeier so sehr lachte und immerfort fragte, wie sie denn mit solch einem grundhäßlichen kleinen Kerl so schön tun könne. – Jener sonderbare Vergleich mit Droßelmeier, den sie anstellte, als der Kleine ihr zuerst in die Augen fiel, kam ihr wieder in den Sinn, und sie sprach sehr ernst: »Wer weiß, lieber Pate, ob du denn, putztest du dich dann auch so heraus wie mein lieber Nußknacker, und hättest du auch solche schöne, blanke Stiefelchen an, wer weiß, ob du denn doch so hübsch aussehen würdest als er!« – Marie wußte gar nicht, warum denn die Eltern so laut auflachten und warum der Obergerichtsrat solch eine rote Nase bekam und gar nicht so hell mitlachte wie zuvor. Es mochte wohl seine besondere Ursache haben.

E. T. A. Hoffmann
(Auszug)

Laßt uns froh und munter sein!

Nikolauslied

1. Laßt uns froh und mun - ter sein und uns in dem Her - ren freun! Lu - stig, lu - stig, tral - le - ral - le - ra, bald ist Nik - laus - a - bend da, bald ist Nik laus - a - bend da.

2. Bald ist unsre Schule aus,
   dann ziehn wir vergnügt nach Haus.
   Lustig . . .

3. Dann stell ich den Teller auf,
   Niklaus bringt gewiß was drauf.
   Lustig . . .

4. Steht der Teller auf dem Tisch,
   sing ich nochmals froh und frisch:
   Lustig . . .

5. Wenn ich schlaf, dann träume ich:
   Jetzt bringt Niklaus was für mich.
   Lustig . . .

6. Wenn ich aufgestanden bin,
   lauf ich schnell zum Teller hin.
   Lustig . . .

7. Niklaus ist ein braver Mann,
   den man nicht genug loben kann.
   Lustig . . .

Volksgut

FRUCHTSTERNE

Für 18 Stück

Für den Teig:
500 g Mehl
30 g Hefe
1 TL Zucker
1 TL lauwarme Milch
80 g Zucker
abgeriebene Schale von ½ Zitrone
½ TL Salz
2 Eigelb, 100 g Butter
80 g gehackte Mandeln
Mehl zum Ausrollen
Fett fürs Blech
1 Eigelb zum Bestreichen

Für die Verzierung:
80 g Belegkirschen
50 g Zitronat im Stück
80 g geschälte Mandeln
50 g Rosinen
30 g Pinienkerne

1. Mehl in eine Schüssel geben. In die Mitte eine Mulde drücken. Die Hefe hineinbröckeln. Zucker, die Hälfte der Milch und etwas Mehl vom Rand zu einem Vorteig verrühren. Zugedeckt an einem warmen Ort 15 Minuten gehen lassen.
2. Zucker und Zitronenschale, Salz, Eigelb und die weiche Butter zugeben. Alles unterkneten und so lange schlagen, bis der Teig Blasen wirft und sich vom Schüsselrand zu lösen beginnt. Mandeln ebenfalls unterkneten.
3. Weitere 20 Minuten gehen lassen. Teig auf bemehlter Arbeitsfläche 1 cm dick ausrollen. Sterne ausstechen. Auf das eingefettete Blech legen und die Oberfläche mit verquirltem Eigelb bestreichen.
4. Kirschen halbieren, Zitronat in Streifen schneiden. Sterne mit Kirschen, Zitronat, Mandeln, Rosinen und Pinienkernen belegen.
5. Im vorgeheizten Ofen auf der mittleren Schiene bei 200 Grad 10–15 Minuten backen.

SELBSTGEMACHTE GESCHENKE

Zugegeben: es ist oft schwierig, sich dem jedes Jahr stärker werdenden Konsumzwang, der leider immer mehr mit Weihnachten verbunden ist, zu entziehen. Gerade in einer Zeit, wo im Grunde jeder schon alles hat, die Werbung aber trotzdem ihr möglichstes versucht, immer noch neue Bedürfnisse zu wecken, kommen selbstgemachte Kleinigkeiten gut an. Schließlich zeigen Sie doch damit dem Beschenkten, daß Sie sich nicht nur etwas Individuelles überlegen, sondern auch noch Zeit und Mühe für ihn zu investieren bereit sind. Geschenke aus der Küche machen immer Freude. Da reicht – je nach Geschmack – die Palette von süßem Konfekt über Marmelade und Chutney bis hin zu pikant eingemachten Zwiebeln. Eine hübsche Schachtel oder ein schönes Glas, womöglich weihnachtlich verziert, machen das Ganze perfekt.

51

SELBSTGEGOSSENE KERZEN

Material:
*Paraffin
(= Wachsgranulat)
Stearin für die Farbmischung
Farbpigmente in Pulverform
(Künstlerbedarf)
Dochte
(das obere Dochtende ist vom
Hersteller stets farbig markiert)
für jede Farbe 2 alte Blechdosen
Holzspieße als Hülsen
Versandrollen mit Deckel
dicke Folie
für geriffelte Kerzen 1 Stück
Wellpappe*

Werkzeug:
*Kleine Säge
Klebepistole
Leimzwingen
oder Klammern
Cutter
Teelöffel*

1. Hülse auf Kerzenhöhe kürzen. Mit Folie auskleiden, für geriffelte Kerzen mit Wellpappe. Deckel durchbohren, Docht durchfädeln und verknoten. Mit Heißkleber versiegeln.

2. Holzspieß quer über die Hülsenöffnung legen, Docht daran verknoten, abschneiden. Oberes Dochtende farbig markieren. Falsch eingegossene Dochte brennen nicht.

3. Pro Farbe 1 große Dose mit Paraffin, 1 kleine mit Stearin füllen (Verhältnis 1:10). Zum Stearin 1 TL Pigmente geben. Im Wasserbad schmelzen lassen. Dosen anklammern.

4. Farbiges Stearin ins Paraffin einrühren, auf 95 Grad erhitzen. Wachs ca. 2 cm hoch in die Form gießen. Im Kühlschrank vollständig erkalten lassen. Dann nächste Schicht gießen.

5. Wachs nachgießen, wenn sich beim Abkühlen am Docht eine Vertiefung bildet. Nach dem Erkalten Knoten am Deckel entfernen, Kerze herausschieben. Docht kürzen.

Weihnachtsabend

Die fremde Stadt durchschritt ich sorgenvoll,
der Kinder denkend, die ich ließ zu Haus.
Weihnachten war's; durch alle Gassen scholl
der Kinderjubel und des Markts Gebraus.

Und wie der Menschenstrom mich fortgespült,
drang mir ein heiser Stimmlein in das Ohr:
»Kauft, lieber Herr!« Ein magres Händchen hielt
feilbietend mir ein ärmlich Spielzeug vor.

Ich schrak empor, und beim Laternenschein
sah ich ein bleiches Kinderangesicht;
wes Alters und Geschlechts es mochte sein,
erkannt ich im Vorübertreiben nicht.

Nur von dem Treppenstein, darauf es saß,
noch immer hört ich, mühsam wie es schien:
»Kauft, lieber Herr!« den Ruf ohn Unterlaß;
doch hat wohl keiner ihm Gehör verliehn.

Und ich? – War's Ungeschick, war es die Scham,
am Weg zu handeln mit dem Bettelkind?
Eh meine Hand zu meiner Börse kam,
verscholl das Stimmlein hinter mir im Wind.

Doch als ich endlich war mit mir allein,
erfaßte mich die Angst im Herzen so,
als säß mein eigen Kind auf jenem Stein
und schrie nach Brot, indessen ich entfloh.

Theodor Storm

TRANSPARENT IN SCHALE

Hasendraht
1 Drahtschere
1 Flachzange
Wickeldraht
verzinkter Draht
2 mm Durchmesser
Gewindestange
1 cm Durchmesser
passende Mutter
3 verschieden große Schalen

Schale:

1. Eine Schale als Formgeber auf den Kopf stellen. Ein entsprechend großes Stück Hasendraht mit einberechnetem Fuß um die Schale legen. Hasendraht anformen. In der Mitte des Schalenbodens den Hasendraht für den Fuß zusammenfassen. Mit Wickeldraht mehrmals umwickeln.

2. Eine kleinere Schale gegen den Schalenboden stellen. Fuß entsprechend dieser Form modellieren. Schale abnehmen. Einen Drahtring in die untere Endkante des Fußes arbeiten. Das Ganze auf den Fuß stellen. Drahtenden am Schalenrand mit einer Zange vorsichtig nach innen biegen und in den Hasendraht einflechten.

Etagere:

1. Drei Schalen als Formgeber auf den Kopf stellen. Entsprechend große Stücke aus Hasendraht mit einer Zugabe von 10 cm für den Fuß bzw. die Zwischenstücke zuschneiden. Hasendraht anformen. In der Mitte des Schalenbodens die überstehenden 10 cm zusammendrücken. Drahtenden an den Schalenrändern umbiegen und einflechten.

2. Die kleinste Drahtschale auf die Gewindestange schieben. Mit einer Zange den Drahtfuß ganz fest an die Gewindestange drücken. Knapp unter der Schale mit Wickeldraht befestigen. Mutter an das obere Ende der Gewindestange schrauben. Die

nächst größere Schale von unten über die Gewindestange bis an den Drahtfuß der ersten Schale schieben. Fußdraht fest andrücken und mit Wickeldraht befestigen. An der letzen Schale eine kleinere Schale gegen den Schalenboden stellen. Fuß entsprechend dieser Form modellieren. Schale abnehmen.

3. Einen Drahtring in die untere Endkante des Fußes arbeiten. Drahtenden nach innen in den Hasendraht biegen und einflechten. Das Ganze auf den Fuß stellen. Schale auf die Gewindestange schieben und mit Wickeldraht befestigen.

GOLDDOSEN

Schachtel und Dosen
Schlagmetall in Gold
Schnellanlegemittel
mittelfeines Gold-Pulver
1 Pinsel
1 Lappen
1 Bürste mit weichen Borsten
Wellpappe
Geschenkpapier
Patina
1 Heißkleberpistole
1 Cutter

Dose mit Sternen:

1. Eine beliebige Dose mit Anlege-mittel bestreichen. Antrocknen las-sen, bis sich die Oberfläche leicht klebrig anfühlt. Schlagmetall mit angefeuchteten Fingerspitzen auf-nehmen und vorsichtig auf die Dose tupfen. Mit einem Lappen andrücken. Über Nacht trocknen lassen. Lose Metallteilchen vorsich-tig abbürsten.

2. Umfang und Höhe der Dose ausmessen. Einen entsprechend großen Streifen aus Wellpappe zu-schneiden. Auf die Rückseite Sterne aufzeichnen und mit dem Cutter ausschneiden. Wellpappe auf die Dose kleben. Einen ausge-schnittenen Stern auf den Deckel kleben

Dosen mit Geschenkpapier:

1. Deckel mit Anlegemittel ein-streichen. Antrocknen lassen, bis sich die Oberfläche leicht klebrig anfühlt. Pulver mit dem Pinsel auf-tupfen.

2. Umfang und Höhe der einzel-nen Dose ausmessen. Den Maßen entsprechend das Geschenkpapier zuschneiden und auf die Dose kleben.

Dose und Schachtel aus Wellpappe:

1. Möglichst lange und 4 cm breite Streifen aus Wellpappe zuschnei-den. Die ersten Streifen von der Mitte her aufrollen, den nächsten Streifen mit Heißkleber möglichst

nahtlos ansetzen und weiterrollen, bis die Deckelgröße erreicht ist. Das Ende mit Kleber fixieren. In der Mitte die Pappe nach oben herausdrücken. Die entstandene Form innen mit Heißkleber fixie-ren und das Ganze auf den Deckel kleben.

2. Deckelrand und Höhe ausmes-sen (inkl. der 4 cm Wellpappe).

Pappstreifen zuschneiden und von außen gegen den Rand kleben. Deckel auf die Dose bzw. Schach-tel setzen. Höhe von Dosen- und Schachtelboden bis Deckelrand so-wie den Umfang ausmessen. Well-pappe zuschneiden und aufkleben.

Morgen kommt der Weihnachtsmann

1. Mor-gen kommt der Weih-nachts-mann, kommt mit sei-nen Ga- ben.

Bun-te Lich-ter, Sil-ber-zier, Kind mit Krip-pe, Schaf und Stier,

Zot-tel-bär und Pan-ther-tier möcht ich ger-ne ha- ben.

2. Doch du weißt ja unsern Wunsch,
kennst ja unsre Herzen.
Kinder, Vater und Mama,
und sogar der Großpapa,
alle, alle sind wir da,
warten dein mit Schmerzen.

August Heinrich
Hoffmann von Fallersleben

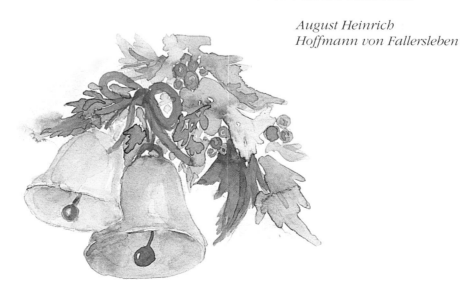

SÜSSE GRÜSSE ZUM FEST

Für 6 Stück

Für den Honigkuchenteig:
250 g flüssiger Honig
75 g Zucker
1 Päckchen Vanillezucker
125 g Butter oder Margarine
100 g Schweineschmalz
2 Eier
1 Päckchen Lebkuchengewürz (15 g)
5 Tropfen Bittermandel-Backöl
1 Päckchen Rum-back (8 ml)
375 g Weizenmehl (Type 405)
1 Päckchen Backpulver
20 g Kakaopulver
⅛ l Milch
125 g Rum-Rosinen
100 g gehackte Mandeln
50 g feingehacktes Orangeat
50 g feingehacktes Zitronat

Außerdem:
150 g Aprikosen-Konfitüre

Für die Verzierung:
250 g Puderzucker
1 Eiweiß
1 EL Wasser
rote, grüne, gelbe und
blaue Speisefarbe
50 g Halbbitter-Kuvertüre

1. Honig, Zucker, Vanillezucker, Fett und Schmalz in einem Topf unter Rühren so lange erwärmen, bis der Zucker gelöst und das Fett zerlassen ist. In eine Rührschüssel geben und etwas abkühlen lassen.
2. Unter die fast kalte Masse Eier, Lebkuchengewürz, Bittermandel-Backöl und Rum-back rühren.
3. Mehl, Backpulver und Kakaopulver vermischen und eßlöffelweise mit der Milch unter die Masse rühren. Restliche Teigzutaten unterrühren.
4. Teig auf ein mit Backpapier belegtes Backblech geben und glattstreichen. Im vorgeheizten Backofen bei 175 Grad 25–30 Minuten backen.
5. Kuchen herausnehmen und auf dem Blech auf einem Kuchengitter ca. 30 Minuten abkühlen lassen. Auf das Gitter stürzen, Backpapier abziehen und erneut stürzen. Kuchen auskühlen lassen.
6. Konfitüre ca. 2 Minuten einkochen lassen, durch ein Sieb streichen. Kuchen in sechs Rechtecke (12 mal 15 cm) schneiden. Jeweils die Oberfläche und den Rand mit Konfitüre bepinseln, antrocknen lassen.
7. Puderzucker, Eiweiß und Wasser verrühren. Guß in fünf gleiche Teile teilen. Vier Teile mit roter, grüner, gelber und blauer Speisefarbe einfärben. Den Guß und die aufgelöste Kuvertüre in jeweils ein Spritztütchen aus Pergamentpapier füllen und die Spitze ca. 2 mm abschneiden.
8. Jeweils einen Tannenbaum, Sterne und Schneeflocken-Tupfen in den Flaggenfarben verschiedener Länder auf die Rechtecke spritzen. Zum Schluß mit weißem Guß die Weihnachtsgrüße als Schriftzug in der jeweiligen Sprache spritzen. Guß trocknen lassen.

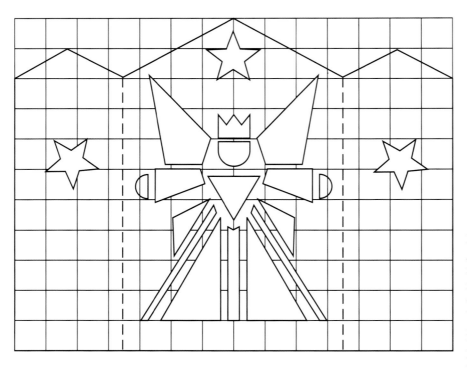

KUNSTKARTEN

1 Bogen Cromoluxkarten,
50 mal 70 cm
Transparentpapier
in mehreren Farben
Klebstoff
Cutter
Lineal
Bleistift
Kohlepapier
Zirkel

1. Engelkarte (Zeichnung links) mit Hilfe des Rasters auf Karton vergrößern (1 Kästchen = 2 mal 2 cm für die große Karte). Für die kleine nur das Motiv vergrößern (1 Kästchen = 1,5 mal 1,5 cm). Entlang der Umrisse ausschneiden, die Motivflächen herausschneiden. Innen entlang der Faltlinien (=gestrichelte Linien) mit Cutter und Lineal Falzlinien einritzen, so läßt sich der Karton leichter falten.

2. Für die Doppelkarten mit Stern aus Karton Rechtecke, 22 mal 15,5 cm, schneiden. Innen quer in der Mitte eine Falzlinie ziehen, falten. Auf Papier einen Stern zeichnen. Stern oder kleines Engelmotiv auf je eine Innenseite der Karten kopieren, herausschneiden.

3. Für die kleinen Karten Transparentpapiere mit 15,5 mal 10,5 cm zuschneiden, für den großen Engel etwas größer als die zu beklebenden Ausschnitte. Papier hinter die Ausschnitte kleben.

GEPRÄGTE KARTEN

Präge-Schablonen aus Messing
Prägekarten mit Passepartout
und Umschlag
Prägestift (erhältlich
in Bastelgeschäften)
Pastellkreide
Buntstifte oder Aquarellfarben
Scotch Magic Tape
Lichtquelle (Lichtkasten,
Fensterscheibe oder Taschenlampe
mit Milchglasscheibe)

Schablone auf den Lichtkasten legen, Karte auflegen, dann die Schablone. Darauf achten, daß das Motiv gekontert auf die Karte kommt.
Schablone mit einem Stückchen
Magic Tape auf der Karte befestigen. Die Schablone liegt immer
zwischen der Lichtquelle und dem
Papier. Mit dem Embossing-Stift
vorsichtig die Konturen des Scha-
blonenmotivs unter gleichmäßigem
Druck nachziehen. Danach Motive
mit Pastellkreide, Buntstiften oder
Aquarellfarben ausmalen.

KARTEN MIT GOLD

Karten in Postkartenformat
Goldstift (Edding 751 und 780)
schwarzer Filzstift
Schlagmetall in Gold
Anlegemittel, weicher Pinsel

1. Stern vorzeichnen und auf die
Karte übertragen. Mit dickem Goldstift die äußere Linie, mit dünnem
die innere nachziehen. In Groß-
buchstaben den Linien entlang die
Weihnachtsgrüße schreiben.
2. Bei der Karte mit goldenem
Schlagmetall ein Rechteck in der
Größe 5,5 mal 7 cm mittig mit Blei-
stiftpunkten angeben. Anlegemittel
auftragen. Wenn es berührtrocken
ist, Schlagmetall mit leicht angefeuchteten Fingerspitzen aufnehmen und auflegen. Nach dem
Trocknen überschüssige Reste mit
Pinsel entfernen. Zum Schluß die
Weihnachtsgrüße mit Filzstift um
das Rechteck schreiben.

GEFLÜGELTE ROLLE

Weißes, grobfaseriges Büttenpapier
Geschenkband
Engelflügel aus Papier
(Bastelgeschäft)
Goldstift (Edding 780)
Lineal mit Metallkante

Gewünschte Größe auf dem Büttenpapier angeben. Papier über die
Linealkante reißen, um eine unre-
gelmäßige Kante zu erhalten. Weihnachtsgrüße mit Goldstift auf die
Papierrolle schreiben. Rolle drehen, mit Geschenkband umwickeln
und die Engelsflügel befestigen.

KARTE MIT PAPIERSPITZE

Karte
weißes Spitzendeckchen aus Papier
goldene Paint Creme von Stencil
(Bastelgeschäft)
Schablonierpinsel
Kleber

Spitzendeckchen auf Zeitungspa-
pier legen und die Goldfarbe so
aufstupfen, daß der weiße Unter-
grund noch sichtbar ist. Deckchen
auf die Karte kleben.

PANETTONE

Für 2 Stück

500 g doppelgriffiges Mehl
(Type 405)
1 Würfel frische Hefe oder
1 Tüte Trockenbackhefe
1 TL Salz
125 g Zucker
1 Päckchen Vanillezucker
abgeriebene Schale von 1 Zitrone
100 g weiche Butter oder Margarine
1 Ei
2 Eigelb
⅛ l Milch
100 g Zitronat
100 g Rosinen
1 EL Mehl

1. Mehl mit zerbröckelter Hefe, Salz, Zucker, Vanillezucker und Zitronenschale mischen. Fett und Eier zugeben und mit der lauwarmen Milch zu einem weichen Teig verkneten. Zitronat und Rosinen mit Mehl mischen und unter den Teig kneten. An einem warmen Ort mindestens 30 Minuten abgedeckt gehen lassen.
2. Zwei neue Blumentöpfe aus Ton (12 cm hoch; 13 cm Durchmesser) wässern. Abtropfen lassen und das Loch im Topfboden mit einem Stück Alufolie verschließen. Den Teig halbieren und je eine Hälfte in einen Topf geben. Den Teig nochmals 20 Minuten aufgehen lassen. Im Backofen bei 175 Grad 50–60 Minuten backen. Auskühlen lassen.

SCHOKOLADEN-KUCHEN

Für 13 Scheiben

Für den Mürbeteig:
350 g Mehl
200 g Butter oder Margarine
100 g Zucker
1 Ei
1 Prise Salz
1 Msp. Backpulver
½ TL Citro-back

Für die Füllung:
150 g Halbbitterkuvertüre
100 g Vollmilchkuvertüre
250 g Kokosfett
3 Eier
5 EL Zucker

1. Alle Zutaten für den Mürbeteig verkneten. Zu einer Kugel formen und im Kühlschrank 30 Minuten ruhenlassen. Den Teig zwischen Folie ausrollen und sechs Rechtecke in Größe der Kastenform (22 cm lang) ausschneiden. Auf ein Backpapier legen, mehrmals mit einer Gabel einstechen und im Ofen bei 200 Grad ca. 20 Minuten goldbraun backen. Auf einem Kuchengitter auskühlen lassen.
2. Für die Füllung Kuvertüre grob hacken und schmelzen. Kokosfett ebenfalls bei geringer Hitze schmelzen. Kuvertüre, Kokosfett, Eier und Zucker zu einer cremigen Masse rühren.
3. Eine Kastenform mit Klarsichtfolie auslegen und abwechselnd die Mürbeteigböden und die Schokoladenmasse einschichten. Mit einem Boden abschließen. Im Kühlschrank mindestens 1 Stunde gut durchkühlen lassen. Aus der Form stürzen.

GEBACKENE GUTSCHEINE

Für 6 Stück

Für den Teig:
200 g Mehl
100 g Butter oder Margarine
50 g Zucker
2 EL Crème fraîche
1 EL Kakao
1 Prise Salz
je 1 Prise gemahlene Nelken
Kardamom und Zimt

Für die Verzierung:
1 Eiweiß
200 g Puderzucker
Lebensmittelfarbe
Zuckerstreusel und -herzen

1. Alle Zutaten für den Teig mit den Knethaken des Handrührgerätes verkneten. Zu einer Kugel formen und ca. 30 Minuten im Kühlschrank ruhenlassen.
2. Den Teig zwischen Folie ausrollen und 6 Rechtecke (10 mal 15 cm) mit dem Teigrädchen ausradeln. Auf ein mit Backpapier ausgelegtes Backblech legen, einige Male mit einer Gabel einstechen und im Backofen bei 200 Grad 10–15 Minuten backen. Auf einem Kuchengitter auskühlen lassen.
3. Eiweiß mit gesiebtem Puderzucker verrühren und nach Belieben mit Lebensmittelfarbe einfärben. Gutscheine mit Zuckerguß bepinseln und mit Zuckerherzen und -streuseln verzieren. Etwas Zuckerguß in eine gedrehte Pergamenttüte füllen und die Gutscheine damit beschriften.

INGWERTRÜFFEL

Für 50 Stück

150 g Halbbitterkuvertüre
100 g Vollmilchkuvertüre
60 g weiche Butter oder Margarine
80 g Puderzucker
50 g Löffelbiskuits
40 g eingelegter Ingwer
1 Tüte Kirschwasser-back (8 ml)
50 g Vollmilch-Schokoladenstreusel

1. Kuvertüre hacken und im Wasserbad schmelzen. Fett und Puderzucker mit dem Schneebesen des Handrührgerätes zu einer cremigen Masse rühren. Flüssige Kuvertüre unterrühren.
2. Löffelbiskuits grob zerbröseln. Ingwer fein hacken. Beides mit Kirschwasser-back unter die Schokoladenmasse rühren. Zu Kugeln formen und in Schokoladenstreuseln wenden.

Weihnacht in der Großstadt

Ist Pfingsten das liebliche Fest und Ostern das erhabene, so ist Weihnacht das herzinnige. Es ist das Fest des Kindes, des ewigen, des heiligsten, des allmächtigen, des liebreichsten Kindes, des Königs der Kinder.

Und in welche Zeit des Jahres fällt das Fest! Wenn zu Pfingsten alles grünt und duftet, wenn zu Ostern Feld und Garten und Wald sich zu dem holden Lenze rüsten, so ist die Weihnacht zu der Zeit des kürzesten Tages und der längsten Nacht. Und dennoch, wie ahnungsreich und herzerfüllend ist die Zeit! Wenn der tiefe, weiße, makellose Schnee die Gefilde weithin bedeckt und an heitern Tagen die Sonne ihn mit Glanz überhüllt, daß er allerwärts funkelt; wenn die Bäume des Gartens die weißen Zweige zu dem blauen Himmel strecken und wenn die Bäume des Waldes, die edlen Tannen, ihre Fächer mit Schnee belastet tragen, als hätte das Christkindlein schon lauter Christbäume gesetzt, die in Zucker und Edelsteinen flimmern: so schlägt das Gemüt der Feier entgegen, die da kommen soll. Und selbst wenn düstre, dicke Nebel die Gegend decken oder in schneeloser Zeit die Winde aus warmen Ländern bleigraue Wolken herbeijagen, die Regen und Stürme bringen, und wenn die Sonne tief unten, als wäre sie von uns weg zu glücklicheren Ländern gegangen, nur zuweilen matt durch den Schleier hervorblickt, so würden fromme Kinder den Glanz durch den Nebel oder durch die bleigrauen Wolken ziehen sehen, wie das Christkindlein durch sie hinschwebt, wenn sie nur eben zu der Zeit hinaussähen, da das Christkindlein vorüberschwebt; denn das Christkindlein rüstet sich auch schon lange Zeit zu seinem Geburtstagsfeste, um den Kindern zu rechter Zeit ihre Gaben zu bescheren.

Und endlich kommt die heilige Nacht. So kurz die Tage sind, so hat doch an diesem Tage die Nacht gar nicht kommen wollen und immer dauerte der Tag. Das Christkind aber gibt die Gaben nur in der Nacht seiner Geburt. Und sie ist jetzt gar wirklich gekommen, diese Nacht. Die Lichter brennen schon in dem schönen Zimmer der Stadtleute, auf der Leuchte in der Stube der alten

Waldhütte brennt der Kien oder es brennt ein Span in seiner eisernen Zange auf einem hölzernen Gestelle. In dem Zimmer mit den Lichtern oder in der Stube mit dem brennenden Kien oder dem brennenden Span harren die Kinder. Da kommt die Mutter und sagt: »Das Christkindlein ist schon dagewesen.«

Und nun öffnen sich die Flügeltüren und die Kinder und alle, die gekommen sind, die Freude zu teilen, gehen in das verschwiegene Zimmer. Dort steht der Baum, der sonst nichts als grün gewesen ist. Jetzt sind unzählige flimmernde Lichter auf ihm und bunte Bänder und Gold und unbekannte Kostbarkeiten hängen von ihm nieder. Und der Gaben ist eine Fülle auf ihm, daß man sich kaum fassen kann. Die Kinder sehen ihre liebsten Wünsche erfüllt und sogar die Erwachsenen und selbst der Vater und die Mutter haben von dem Christkinde Geschenke erhalten, weil sie Freunde der Kinder sind und die Kinder lieben. Die Bangigkeit der Erwartung geht jetzt in Jubel auf und man kann nicht enden, sich zu zeigen, was gespendet worden ist. Man zeigt es sich immer wieder und immer wieder und freut sich, bis der Erregung die Ermattung folgt und der Schlummer die kleinen Augenlieder schließt.

Und wenn die Millionen Kinder, die in dieser Nacht beteilt worden sind, schon in ihrem Bettchen schlummern und ihr Glück sich noch in manchem Traume nachspiegelt und nun von dem hohen Turm des Domes in der großen Stadt die Schläge der zwölften Stunde der Nacht herabgetönt haben, so erschallt das Geläute der Glocken auf dem hohen Turm des Domes, es erschallt das Geläute der Glocken auf allen Kirchtürmen der Stadt und das Geläute ruft die Menschen in die Kirchen zum mitternächtlichen Gottesdienste. Und von allen Seiten wandeln die Menschen in die heiligen Räume. Und in dem hohen gotischen Dome strahlt alles von einem Lichtermeer; und so groß das Lichtermeer ist, das weit und breit in den unteren Räumen des Domes ausgegossen wird, so reicht es doch nicht in die Wölbung empor, in welche die schlanken Säulen oben auseinandergehen, und in jenen Höhen wohnt erhabene Finsternis, die den Dom noch erhabener macht. Der hohe Priester des Domes und die Priesterschaft feiern den Gottesdienst. Und so heilig ist das Fest, daß an diesem, und nur an diesem allein, jeder katholische Priester dreimal das heilige Meßopfer vollbringen darf. Und wenn schon die Baukunst in den zarten Riesengliedern des Domes dem Gottesdienste als Dienerin beigegeben ist, wenn die tiefe Pracht der kirchlichen Gewänder dem Feste Glanz gibt: so tönt auch die Musik in ihren vollen Wellen und in kirchlichem Ernste, von dem Chore tadellos dargestellt, hernieder. Und wenn die heilige Handlung vorüber ist, zerstreuen sich Priester und Laien, die Lichter werden ausgelöscht und der Dom ragt finster zu dem Monde, wenn er am Himmel scheint, oder zu den Sternen oder gegen die dunklen, schattenden Wolken.

Und wie in dem Dome, so wird in allen Kirchen der großen Stadt mit den Mitteln der Kirche das heilige Mitternachtsfest gefeiert, soweit die Mittel und der Eifer und die Andacht reichen. Und in jeder Kirche ist die gläubige Menge und feiert das Fest.

Wie um Mitternacht in der Weihnacht die Glocken der großen Stadt zum Gottesdienste rufen, so rufen auch in derselben Stunde alle Kirchenglocken der kleineren Stadt, der kleinsten Stadt, des Marktfleckens, des Dorfes, es rufen die Glocken aller Kirchen zu dem heiligen Feste. Und es sind Millionen Tempel, in denen man das Geburtstagsfest des heiligen Kindes begeht. Und wie die Mitternacht von Osten gegen den Westen herüberrückt, so rückt das Geläute von Osten gegen den Westen, bis es an das Meer kommt. Dort macht es eine Pause und beginnt nach einigen Stunden jenseits des Ozeans.

Am nächsten Tag haben die Menschen ihre festlichen Gewänder an, es ist Weihnachtstag. Der Taggottesdienst wird noch gehalten und in der ärmsten Hütte wird auf den Mittagstisch gestellt, was die Kräfte vermögen. Und wie an diesem Tage das Heil in die Welt gekommen ist, so wird von ihm an auch wie zur Versinnbildlichung der Winter, wenn gleich kälter, doch klarer, die Tage wachsen und alles zielt auf ein fröhliches Auswärts.

Adalbert Stifter

Morgen, Kinder, wird's was geben

1. Mor-gen, Kin-der, wird's was ge-ben, mor-gen wer-den wir uns freun!

Welch ein Ju-bel, welch ein Le-ben wird in un-serm Hau-se sein!

Ein-mal wer-den wir noch wach, hei-ßa, dann ist Weih-nachts-tag!

2. Wie wird dann die Stube glänzen
von der großen Lichterzahl!
Schöner als bei frohen Tänzen
ein geputzter Kronensaal.
Wißt ihr noch, wie vor'ges Jahr
es am heil'gen Abend war?

3. Wißt ihr noch mein Räderpferdchen,
Malchens nette Schäferin,
Jettchens Küche mit dem Herdchen
und dem blankgeputzten Zinn?
Heinrichs bunten Harlekin
mit der gelben Violin?

Philipp von Bartsch

65

QUITTENBROT

Für 140 Stück

1,5 kg Quitten
gut ¼ l Wasser
500 g Zucker
500 g Honig

Außerdem:
Öl zum Einfetten
grober Zucker zum Wenden

1. Quitten mit einem Tuch abreiben, um damit den Flaum zu entfernen. Früchte gründlich unter kaltem Wasser abbürsten. Ungeschält in Stücke schneiden. Dabei Stiel und Blütenansatz entfernen. Quitten in einen großen Topf mit Wasser geben und in 30 Minuten weichkochen.

2. Quittenmus durch ein Sieb in eine Schüssel streichen. Wieder in den Topf geben. Mit Zucker und Honig unter ständigem Rühren 30 Minuten kochen. Die Masse muß dick und leicht bräunlich sein. Die Fettpfanne des Backofens mit Öl bestreichen. Quittenmus darauf verteilen und mit einem Pfannenmesser glattstreichen.

3. Pfanne in den vorgeheizten Ofen auf die mittlere Schiene schieben und das Quittenbrot bei 140 Grad trocknen lassen.

4. Nach 60 Minuten den Herd einen Spalt öffnen (Kochlöffelstiel zwischen Herd und Herdklappe klemmen). Pfanne aus dem Ofen nehmen. Quittenbrot mit einem Küchentuch bedeckt noch 24 Stunden auf der Heizung oder in Ofennähe trocknen.

5. Quittenbrot in Rauten von 3 cm Seitenlänge schneiden. Jedes Stück in grobem Zucker wenden.

Bis zum Verzehr in gut verschließbaren Blechdosen aufheben.

BAUMKUCHEN-SPITZEN

(Foto links)

Für 50 Stück

Für den Teig:
250 g Butter oder Margarine
200 g Zucker
2 Päckchen Vanillezucker
5 Eier
125 g Mehl
75 g Speisestärke
100 g gemahlene Mandeln
je 1 Msp. gemahlener Kardamom
und Zimt
1 EL Rosenwasser
1 EL Rum
Margarine zum Einfetten

Für den Guß:
200 g dunkle Kuvertüre
100 g helle Kuvertüre

1. Fett schaumig rühren. Nach und nach Zucker, Vanillezucker und Eier einrühren. So lange rühren, bis der Zucker gelöst ist. Mehl, Speisestärke und Mandeln mischen. Löffelweise unter die Masse geben. Gewürze, Rosenwasser und Rum daruntermischen.
2. Ein Backblech mit Alufolie auskleiden. Folie am unteren Rand hochfalzen, damit der Teig nicht herunterläuft. Folie einfetten. Mit einem Teigschaber eine hauchdünne Schicht Teig darauf streichen. Blech in den vorgeheizten Ofen auf die mittlere Schiene schieben und bei 200 Grad 3 Minuten backen.
3. Blech aus dem Ofen nehmen. Die zweite Teigschicht hauchdünn auf die schon abgebackene Schicht streichen. Wieder in den Ofen schieben. So fortfahren, bis der ganze Teig verbraucht ist. Nach der dritten Schicht auf Oberhitze oder Grill schalten. Mindestens 6–8 Schichten sollen gebacken werden.
4. Blech aus dem Ofen nehmen. Kuchen vorsichtig stürzen, Folie abziehen. Teigplatte noch warm in 3 cm breite Streifen und in Drei-ecke schneiden. Etwa 10 Minuten auf dem Blech abkühlen lassen.
5. Inzwischen die beiden Kuvertüren getrennt im Wasserbad schmelzen lassen. Dreiecke vorsichtig mit Hilfe einer Gabel mit der dunklen Kuvertüre überziehen und auf einem Kuchendraht trocknen lassen. Aus Backpapier eine Spritztüte formen und am Ende 1 mm abschneiden. Helle Kuvertüre in die Tüte füllen und die Baumkuchenspitzen mit dünnen Streifen verzieren. Die Spitzen behutsam bewegen, weil sie leicht zerbrechen.

Sie sind in verschlossener Dose einige Wochen haltbar.

DATTELN GEFÜLLT

250 g Datteln
100 g geschälte Mandeln
100 g Rohmarzipan
100 g Puderzucker
1 Töpfchen Halbbitterkuvertüre

1. Datteln der Länge nach aufschneiden und den Kern entfernen. Eine Mandel hineinsetzen.

2. Rohmarzipan mit Puderzucker verkneten, ausrollen. Vierecke ausschneiden und die Datteln damit umhüllen.

3. Kuvertüre nach Vorschrift auflösen. Datteln zur Hälfte eintauchen. Zum Trocknen auf ein Kuchengitter legen. In Konfektkapseln aus Papier anrichten.

Diese Datteln sind das richtige Geschenk für süße Schleckermäuler.

Sie können übrigens den Marzipanmantel weglassen. Stecken Sie die Datteln auf Zahnstocher und tauchen Sie sie ganz und gar in Kuvertüre. Wenn die Kuvertüre trocken ist, Zahnstocher rausziehen.

INGWERKONFEKT

Für 32 Stück

125 g Honig
100 g Zucker
2 Eier
100 g Zwieback
50 g Walnußkerne
2 eingelegte Ingwerpflaumen
1 gestrichener EL Ingwerpulver

Außerdem:
30 g Puderzucker
1 TL Ingwerpulver

1. Honig und Zucker in einem Topf unter ständigem Rühren zum Kochen bringen und bei schwacher Hitze 15 Minuten einkochen lassen.
2. Eier im heißen Wasserbad cremig rühren. Zwieback im Mixer oder zwischen Pergamentpapier mit dem Rollholz zu Bröseln zerdrücken. Walnußkerne grob, Ingwerpflaumen fein hacken. Zwieback, Nüsse, Ingwerstücke und Ingwerpulver mit den Eiern mischen und eßlöffelweise unter den Honigsirup ziehen. Aufkochen und unter Rühren 5 Minuten kochen lassen. Eine flache Porzellanplatte mit kaltem Wasser abspülen. Die Masse darauf streichen.
3. Puderzucker und Ingwerpulver mischen. Konfekt damit bestreuen. 10 Minuten ruhen lassen. Dann mit einem scharfen, in heißes Wasser getauchtes Messer in 2 cm große Quadrate schneiden. Würfel abkühlen lassen.

FEIGENKONFEKT

Für 45 Stück

100 g Mandeln
500 g getrocknete Feigen
2 EL Rum
Butter zum Ausrollen

1. Die geschälten Mandeln auf einem Backblech verteilen. Blech auf die mittlere Schiene in den vorgeheizten Ofen schieben und die Mandeln 10 Minuten bei 220 Grad rösten. Dabei das Blech zwischendurch ab und zu rütteln.
2. Mandeln herausnehmen. Die Hälfte der Mandeln fein hacken und beiseite stellen. Feigen von den Stielen befreien und grob zerschneiden. Dann durch die feine Scheibe des Fleischwolfs drehen. Feigenmus und Rum mischen.
3. Mit eingefetteten Händen aus der Masse Kugeln von etwa 3 cm Durchmesser formen. In jede Kugel eine geschälte Mandel drücken. So lange rollen, bis die Mandel ganz in der Feigenmasse eingeschlossen ist.
4. Kugeln in den gehackten Mandeln wälzen, bis sie ganz von Mandeln bedeckt sind. Kugeln auf ein mit Pergamentpapier bedecktes Brett legen und 24 Stunden trocknen lassen.

ORANGENKONFEKT

Für 50 Stück

Schalen von 10 ungespritzten
Orangen (150 g)
2 l Wasser
150 g Zucker
1 EL Honig
300 g gemahlene Walnußkerne
150 g Kokosraspeln
2 cl Grand Marnier

1. Orangenschalen von der weißen Innenhaut befreien. In daumenbreite Stücke schneiden. Mit Wasser in einem Topf einmal aufkochen. Abgießen und in einer Schüssel mit Wasser bedeckt 3 Tage stehenlassen. Wasser mehrmals erneuern.
2. Schalen auf einem Sieb abtropfen lassen. Durch den Fleischwolf drehen oder im Mixer pürieren. Mit Zucker und Honig in einem Topf unter ständigem Rühren zum Kochen bringen. Der Zucker muß sich ganz auflösen. In eine Schüssel geben und abkühlen lassen.
3. Zwei Drittel der Walnüsse, die Kokosraspeln und den Grand Marnier dazugeben. Zu einer geschmeidigen Masse kneten. Ein Backblech mit Alufolie auslegen. Aus der Orangenmasse 50 Bällchen von 3 cm Durchmesser formen. Bällchen in den restlichen Nüssen wenden. Nicht zu dicht nebeneinander auf das Blech legen und in Heizungsnähe über Nacht trocknen lassen.
Das Konfekt kann bis zu 2 Wochen in einer fest verschlossenen Blechdose in einem kühlen Raum aufbewahrt werden.

HASELNUSS-PFLAUMEN-KONFEKT

Für 65–70 Stück

150 g halbbittere Kuvertüre
100 g Vollmilchkuvertüre
⅛ l Schlagsahne
1 Glas Armagnac-Pflaumen (220 g)
150 g Haselnußkerne
50 g Pistazien
100 g weiße Kuvertüre

1. Die beiden Kuvertüresorten gleichmäßig fein hacken und in eine Schüssel geben. Die Sahne aufkochen und über die Kuvertüre gießen. Mit einem Holzlöffel rühren, bis sich die Kuvertüre völlig aufgelöst hat. Kalt stellen, bis die Masse fast fest geworden ist.
2. In der Zwischenzeit die Pflaumen abtropfen lassen und hacken. 70 Haselnußkerne zur Seite legen. Die übrigen grob hacken und in einer Pfanne ohne Fett unter Wenden hellbraun rösten. Die Pistazien ebenfalls grob hacken. Ein Tablett mit Backpapier belegen.
3. Pflaumen, gehackte Haselnußkerne und Pistazien mit der Kuvertüre mischen. Mit 2 Teelöffeln walnußgroße Häufchen abstechen und auf das Tablett setzen. Über Nacht kühl stellen und fest werden lassen.
4. Die weiße Kuvertüre gleichmäßig fein hacken und im warmen Wasserbad schmelzen. Mit einem Teelöffel über die Pralinen träufeln, mit je einem Haselnußkern dekorieren.

ESPRESSO-NOUGAT-RAUTEN

Für etwa 60 Stück

500 g Nougatmasse
250 g Halbbitterkuvertüre
4 gestrichene EL Espressopulver (Instant)
100 g Mandelblättchen
50 g gehackte Haselnußkerne
50 g gehackte Pistazien

1. Nougat und Kuvertüre gleichmäßig fein hacken und zusammen im warmen Wasserbad schmelzen. Das Espressopulver unterrühren.
2. Mandelblättchen, Haselnußkerne und Pistazien in einer Pfanne ohne Fett unter Wenden leicht rösten. Unter die Nougatmischung rühren.
3. Eine Arbeitsschale (28 mal 26 cm) mit Backpapier auslegen. Die Masse in die Schale füllen, glattstreichen und mindestens 3 Stunden kühl stellen.
4. Mit dem Papier aus der Form heben. Erst in etwa 3 cm breite Streifen, dann in Rauten schneiden.

KOKOSKUGELN

Für 63 Stück

200 g Cream of coconut
2 Eigelb
150 g Puderzucker
5 EL brauner Rum
50 ml Schlagsahne
100 g Kokosraspeln
1 Palette (63 Stück) Hohlkugeln aus Vollmilchkuvertüre
150 g Vollmilchkuvertüre

1. Cream of coconut im warmen Wasserbad flüssig werden lassen. Eigelb und den gesiebten Puderzucker im warmen Wasserbad mit den Quirlen des Handrührers cremig aufschlagen. Rum, Sahne und die flüssige Cream of coconut unterrühren.
2. Die Kokosraspeln in einer Pfanne ohne Fett unter Wenden goldbraun rösten. Die Hälfte unter die Kokoscreme heben. Ganz auskühlen lassen.
3. Die Kokoscreme in einen Spritzbeutel mit Lochtülle Nr. 4 füllen und bis knapp unter den Rand in die Hohlkugeln spritzen. 1 Stunde in den Kühlschrank legen.
4. Die Kuvertüre im Wasserbad schmelzen. In eine Spritztüte füllen und die Kugeln verschließen. Noch einmal kalt stellen.
5. Die Kugeln aus der Folie drücken, zur Hälfte in die Kuvertüre tauchen und mit den verbliebenen Kokosraspeln bestreuen. Die Kuvertüre fest werden lassen.

EINGEMACHTE ZWIEBELN

Für 3 Gläser à 500 ml

1,5 kg kleine Schalotten
5 Knoblauchzehen
750 g Eiertomaten
1 Thymianzweig, ⅛ l Olivenöl
1 EL getrocknetes Basilikum
3 Lorbeerblätter
1 TL Korianderkörner
¼ l Weißweinessig
frischgepreßter Saft von 1 Zitrone
80 g Zucker, Salz
1 TL weiße Pfefferkörner
1 Bund Petersilie

1. Die Zwiebeln schälen und das Wurzelende etwas abschneiden.
2. 4 Zwiebeln fein hacken, die anderen Zwiebeln beiseite stellen. Die Knoblauchzehen schälen.
3. Die Tomaten am Stielansatz kreuzförmig einschneiden, blanchieren und häuten. Den Stielansatz entfernen und das Fruchtfleisch in Scheiben schneiden.
4. Thymian waschen und mit Küchenpapier trockentupfen.
5. Das Öl in einer Pfanne erhitzen und die Zwiebeln goldgelb anbraten. Den Knoblauch und die Tomaten zufügen, alles gut vermischen und in der Pfanne kurz an-

dünsten. Basilikum, Thymian, Lorbeerblätter und Koriander untermischen und bei schwacher Hitze etwa 20–30 Minuten garen.
6. Die Masse durch ein Sieb in einen Topf streichen. Die restlichen Zwiebeln, Weinessig, Zitronensaft, Zucker, Salz und Pfefferkörner zufügen und alles gut mischen. Bei schwacher Hitze zugedeckt etwa 20 Minuten garen.
7. In der Zwischenzeit die Petersilie waschen, die Blättchen abzupfen und trockentupfen.
8. Die Petersilie zufügen und den Sud und die Zwiebeln noch heiß in Gläser füllen und verschließen.

KÜRBISCHUTNEY

Für 24 Portionen

ca. 1,5 kg Kürbis (geputzt ca. 1 kg)
3 grüne oder gelbe Tomaten
3 Birnen
2 unbehandelte Limetten
oder Zitronen
1 grüne Pfefferschote
1 EL gelbe Senfkörner
1 TL weiße Pfefferkörner
1 Stück geraspelte Ingwerwurzel
Salz
250–300 g weißer
oder brauner Zucker
300 ml Weißwein- oder Obstessig

1. Kürbis schälen, entkernen und in Würfel schneiden. Tomaten kurz überbrühen, kalt abschrecken und enthäuten. Dann quer halbieren, entkernen und in Würfel schneiden. Birnen schälen, halbieren, Kerngehäuse entfernen und in Würfel schneiden. Limetten oder Zitronen unter dem fließenden warmen Wasser gründlich bürsten. Zitrusfrüchte samt Schale in dünne Schnitze schneiden. Pfefferschote in Ringe schneiden.
2. Vorbereitete Gemüse, Früchte, Pfefferschote, Gewürze, Salz, Zucker und ⅛ l Essig in einem weiten Topf unter Rühren aufkochen.

Hitze reduzieren und Chutney unter gelegentlichem Rühren dick einkochen lassen. Nach einer Stunde den restlichen Essig dazugießen und das Chutney nochmals 15 Minuten köcheln lassen.
3. Chutney heiß in gut gespülte vorgewärmte Gläser randvoll einfüllen und sofort verschließen. Kühl und dunkel aufbewahren. Paßt gut zu Fleisch-, Fischfondue, Curry, kaltem Braten oder Siedefleisch.

TOMATENCHUTNEY

Für 1 Glas à 750 ml

500 g vollreife Tomaten
1 reife Mango
100 g Schalotten
1 frische rote Chili
1 EL frischgehackter Ingwer
1 TL Salz
200 g brauner Kandiszucker
½ TL schwarzer Pfeffer
¼ l Weißweinessig
1 Prise Piment

1. Die Tomaten überbrühen, kalt abschrecken und häuten. Die Stielansätze herausschneiden, die Früchte achteln.
2. Die Mango schälen. Von oben nach unten am Kern entlang das Fruchtfleisch in dünnen Spalten abschneiden. Die Schalotten abziehen und würfeln. Die Chili längs halbieren, entkernen und in feine Ringe schneiden.
3. Tomaten, Mango, Schalotten und Chili in einen nicht zu kleinen Topf geben. Die Gewürze zufügen und einmal aufkochen lassen. Bei schwacher Hitze im offenen Topf 45–60 Minuten köcheln lassen, bis eine dickliche Masse entsteht. Ab und zu umrühren. Das Chutney heiß in ein sauber ausgespültes Glas randvoll füllen und gut verschließen. Dunkel und kühl aufbewahren.

WÜRZIGER SCHALOTTENESSIG

Für 2 Flaschen à 700 ml

6 kleine Schalotten
3 Knoblauchzehen
3 Zweige Rosmarin
3 Zweige Estragon
1 l Weißweinessig
1 EL Zucker
1 TL Salz
1 Chilischote

1. Die Schalotten und die Knoblauchzehen schälen.
2. Die Kräuter gründlich waschen und trockentupfen.
3. Den Weißweinessig mit Zucker und Salz vermischen und in eine Flasche mit weiter Öffnung und etwa 1 l Fassungsvermögen füllen. Schalotten, Knoblauchzehen, Kräuter und die Chilischote hinzufügen. Die Flasche gut verschließen und an einem nicht zu hellen Ort aufbewahren. Das Aroma entfaltet sich innerhalb einer Woche. Die Haltbarkeit beträgt etwa 6 Monate.

ben schneiden. Die Zwiebeln schälen und in Halbringe schneiden. Den Knoblauch schälen und die Zehen längs halbieren.

3. Die Aprikosen mit Möhren, Zwiebeln und Knoblauch in einen großen Topf geben, den Zucker einstreuen. Salzen, mit Cayennepfeffer würzen, Pfefferkörner und Lorbeerblätter untermischen und mit dem Essig aufgießen.

4. Unter Rühren etwa 45 Minuten köcheln, bis alle Zutaten weich sind und sich verbunden haben. Zugedeckt bei kleiner Hitze weitere 30 Minuten köcheln, bis fast alle Flüssigkeit verdampft ist.

5. Das Chutney heiß in vorbereitete Twist-off-Gläser füllen und gleich fest verschließen.

Das Chutney hält sich im Kühlschrank mindestens 3 Monate.

ZUCCHINI-MARMELADE

Für 3 Gläser à 500 ml

800 g junge, kleine Zucchini
ca. 10 g frische Ingwerwurzel
Saft und Schale von
1 unbehandelten Zitrone
800 g Gelierzucker

1. Die Zucchini waschen, Blüten- und Stielansätze entfernen und die Schale mit einem kleinen Messer grob abschaben, jedoch nicht ganz entfernen. Anschließend klein raffeln. Die Ingwerwurzel schälen und sehr fein hacken.

2. In einem großen Topf die feingeraffelten Zucchini mit Zitronensaft vermischen, den Gelierzucker unterrühren und mit Ingwer und der abgeriebenen Zitronenschale verfeinern. Das Ganze etwa 30 Minuten zugedeckt ziehen lassen.

3. Die Zucchinimasse in einem hohen Topf zum Kochen bringen und 5 Minuten weiterkochen lassen. Den Schaum, der sich eventuell an

der Oberfläche bildet, mit einem Schaumlöffel abnehmen.

4. Die Zucchinimarmelade von der Herdplatte nehmen, sofort in heiß ausgespülte Einmachgläser füllen und mit angefeuchtetem Cellophan luftdicht verschließen.

MÖHRENCHUTNEY MIT APRIKOSEN

Für 4 Gläser à 250 ml

250 g getrocknete Aprikosen
1 kg Möhren
300 g Zwiebeln
5 Knoblauchzehen
300 g brauner Zucker
Salz
1 Prise Cayennepfeffer
1 EL grüne Pfefferkörner
2 Lorbeerblätter
700 ml Rotweinessig

1. Die Aprikosen mit kochendem Wasser überbrühen und 30 Minuten quellen lassen.

2. Die Möhren schälen, waschen, längs halbieren und in dünne Schei-

KÜRBISKONFITÜRE

Für 3 Gläser à 500 ml

ca. 1,5 kg Kürbis
3 unbehandelte Zitronen
oder Blondorangen
100 ml Wasser
750–1000 g Gelierzucker

1. Kürbis in Schnitze schneiden, dann entkernen. Schale entfernen und Fleisch in Würfel schneiden. Zitrusfrüchte unter fließend warmen Wasser gründlich bürsten. Mit der Schale in sehr dünne Streifen schneiden.

2. Kürbis, Zitrusfrüchte und Wasser in einem weiten Topf aufkochen. Bei mittlerer Hitze etwa 30 Minuten zugedeckt köcheln lassen. Gelierzucker beigeben und die Konfitüre unter ständigem Rühren zum Kochen bringen. Ca. 5 Minuten sprudelnd einkochen lassen (Gelierprobe machen). Kürbiskonfitüre sofort in gut gespülte, vorgewärmte Gläser randvoll einfüllen und luftdicht verschließen.

WEIHNACHTLICHER SCHMUCK

Ein Honigkuchenhaus macht sich einmal natürlich ganz toll als weihnachtliches Mitbringsel, zum anderen ist es eine schöne Zierde zu Hause – eines ist allerdings gewiß: Sie brauchen dazu Zeit und Geduld. Letzteres hätten Sie ja vielleicht noch, aber mit der Zeit ist das häufig so eine Sache. Selbstgemachter Baumschmuck stellt da nicht so große Anforderungen. Ein Christbaum geschmückt mit Keksen aus Spritzgebäck und Honigkuchenteig, buntbemalten Baiserkringeln und altmodischen Springerle, dazwischen vielleicht noch ein paar Äpfel, rote Kerzen, und fertig ist ein Baum ganz im Stil der guten alten Zeit (spätestens ab Dreikönig darf geplündert werden). Springerle können Sie auch im nächsten Jahr noch verwenden. Besonders schön dafür sind alte Model (so heißen die kunsthandwerklichen, von den Modelstechern hergestellten Formen), die Sie auf Flohmärkten oder in Antiquitätengeschäften finden können.

HONIGKUCHEN-HAUS

Für den Teig:
1125 g Sirup oder Honig
375 g Margarine
375 g Zucker
1875 g Weizenmehl (Type 405)
3 Päckchen Pfefferkuchengewürz
3 Eier
1 ½ EL Wasser
je 1 ½ TL Pottasche und
Hirschhornsalz

Außerdem:
750–1000 g Puderzucker
3–4 Eiweiß
1–2 Blatt rote Gelatine
Lakritzkonfekt
Weingummi
Geleefrüchte
braune Kuchen
Lebkuchen
Plätzchen (z.B. Brezeln)
abgezogene ganze Mandeln

Dazu:
Watte
eine Katze, Hexe, Hänsel und Gretel
(aus Plastik)

1. Sirup oder Honig, Margarine und Zucker unter Rühren erwärmen, bis der Zucker gelöst ist. In eine große Rührschüssel geben, abkühlen lassen. Mehl und Pfefferkuchengewürz mischen. Erst die Eier, dann das Mehlgemisch und zum Schluß in Wasser aufgelöste Pottasche und Hirschhornsalz unter die Sirup-Fett-Masse kneten. Teig einen Tag bei Zimmertemperatur ruhenlassen.

2. Schablonen nach den Vorlagen auf der Seite unten herstellen. Teig portionsweise auf einer bemehlten Arbeitsfläche ca. ½ cm dick ausrollen. Zuerst die Schablonen für das Haus auf den ausgerollten Teig legen und die Formen je zweimal mit einem spitzen Messer ausschneiden. Dann eine Platte in der Größe eines Backblechs ausrollen (darauf wird das Haus gestellt).

3. Hausteile nacheinander auf ein mit Backpapier belegtes Backblech legen. Im vorgeheizten Backofen bei 180 Grad ca. 10–15 Minuten backen. Herausnehmen und mit dem Backpapier vom Backblech ziehen.

4. Aus der noch heißen Vorderfront des Hauses drei Rechtecke für die Fenster und ein größeres Rechteck für die Tür herausschneiden. Aus den noch heißen Längsseiten des Hauses jeweils zwei Rechtecke für die Seitenfenster herausschneiden. Rechtecke (von den Fenstern) für die Fensterläden aufbewahren). Für den Ofen und den Stall noch eine Teigplatte in der Größe eines Backbleches ausrollen und backen (siehe Punkt 3.).

5. Aus der noch heißen Kuchenplatte ein ca. 18 mal 18 cm großes Quadrat zuschneiden (darauf wird der Ofen gestellt) sowie fünf Quadrate (à ca. 10 mal 10 cm) für den Ofen. In eines der Quadrate eine »Ofenöffnung« schneiden. Außerdem für den Stall zwei Quadrate (ca. 6 mal 6 cm) und zwei Rechtecke (ca. 8 mal 3 cm, für das Dach) zuschneiden.

6. Restlichen Teig erneut portionsweise ausrollen. Daraus kleine Rechtecke (2 mal 4 cm) für die Ziegel und für den Schornstein des Ofens zuschneiden sowie ein Gitter (ca. 6 mal 6 cm) für den Stall. Für den Zaun mit Plätzchenausstechern kleine Pfefferkuchenfiguren ausstechen. Alles ca. 6–8 Minuten bei 180 Grad backen.

7. Vier ca. 25 cm hohe Tannenbäume aus dem Teig schneiden und ca. 8–10 Minuten backen. Gebackene Pfefferkuchenreste aus der Kuchenplatte (siehe Punkt 5) als Stützpfeiler für das Haus und die Tannenbäume verwenden. Falls noch Teig übrig bleibt, Teigstücke für weitere Stützpfeiler sowie Plätzchen zum Verzieren abbacken.

8. Puderzucker und Eiweiß verrühren, in einen Spritzbeutel mit kleiner Lochtülle füllen. Gelatine etwas größer als die Fenster zuschneiden. Zuerst die Gelatineblättchen von innen mit Guß vor die Fenster kleben. Dann jeweils zwei Stützpfeiler von innen an die Ecken der Vorder- und Rückfront des Hauses kleben.

9. Die Kanten der gebackenen Hausteile nacheinander mit Guß bespritzen und auf der gebackenen Kuchenplatte zusammensetzen. Die Nahtstellen nochmals mit Guß bespritzen. Die Fensterläden und die Tür außen festkleben. Die Stallteile mit Guß zusammensetzen und an das Haus kleben. Die Ofenteile auf der zugeschnittenen Kuchenplatte zusammenkleben, außen einige Ziegel ansetzen. Auf dem Ofen aus den restlichen Ziegeln einen Schornstein zusammensetzen.

10. Aus Lakritzkonfekt einen Schornstein auf das Haus kleben. Hexenhaus, Garten, Ofen und Stall mit den Süßigkeiten, braunen Kuchen, Lebkuchen, Plätzchen und Mandeln dicht an dicht bekleben, gebackene Figuren als Zaun um die Vorderfront setzen – natürlich mit Zuckerguß. Bäume mit Stützpfeilern auf den Kuchenplatten und an Haus und Ofen festkleben.

11. Tannen und Hexenhaus-Giebel dick mit restlichem Guß bespritzen. Fest werden lassen. Alles nach Wunsch mit Puderzucker bestäuben. Watte in die Schornsteine stecken. Katze auf das Dach setzen. Hexe, Hänsel und Gretel vor das Haus stellen.

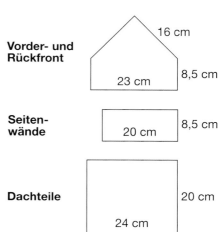

Vorder- und Rückfront 16 cm · 23 cm · 8,5 cm

Seitenwände 20 cm · 8,5 cm

Dachteile 24 cm · 20 cm

O Tannenbaum

1. O Tan - nen-baum, o Tan - nen-baum, wie treu sind dei-ne Blät- ter! Du

grünst nicht nur zur Som-mers-zeit, nein, auch im Win - ter, wenn es schneit. O

Tan - nen-baum, o Tan - nen-baum, wie treu sind dei- ne Blät- ter.

2. O Tannenbaum, o Tannenbaum,
   du kannst mir sehr gefallen!
   Wie oft hat nicht zur Weihnachtszeit
   ein Baum von dir mich hocherfreut!
   O Tannenbaum, o Tannenbaum,
   du kannst mir sehr gefallen!

3. O Tannenbaum, o Tannenbaum,
   dein Kleid will mich was lehren:
   Die Hoffnung und Beständigkeit
   gibt Trost und Kraft zu jeder Zeit.
   O Tannenbaum, o Tannenbaum,
   das will dein Kleid mich lehren.

August Zarnack

FENSTERSCHMUCK

Ovaler Tontopf
Trockensteckmasse
Efeuranken
Islandmoos
4 lange Kerzen
Ceramofix-Pulver
verschiedene Gießformen
und goldene Metallic-Farbe
von Eberhard Faber
Sand
Pinsel
Schwamm
Drahtstangen, 2 mm dick
feines Schleifpapier
Weihnachtskugeln

1. Das Ceramofix-Pulver nach Gebrauchsanleitung anrühren. Die Teile der Formen gegengleich im Sand lagern. Die Gießmasse in alle Vertiefungen der Form füllen. Einige Minuten warten, bis die Masse etwas zäher geworden ist. Beide Formteile in die Hände nehmen, mit der Kante zusammenstoßen, zusammenklappen und mit Wäscheklammern fixieren.

2. Drahtstange einstecken und die Formen in den Sand legen. Nach 30 Minuten Gießteile aus der Form nehmen. Nahtstellen mit Schleifpapier glätten. Formen über Nacht austrocknen lassen.

3. Metallic-Farbe mit Pinsel unverdünnt auf den Tontopf und die fertigen Steckfiguren stupfen. Mit feuchtem Schwamm leicht über die Farbe gehen. Die verwischte Goldfarbe ergibt dabei sehr dekorative Effekte.

4. Trockensteckmasse in den Topf einpassen und für die vier Kerzen Löcher ausstechen. Die Steckmasse mit Islandmoos bedecken. Efeuranke um den Topfrand dekorieren. Zum Schluß die Adventsfiguren und kleine Weihnachtskugeln dazwischenstecken.

LICHTTÜTEN

Japanpapier
Rest von dünnem Karton
stabiler Kupfer- oder Eisendraht
Klebstoff
Flachzange
Schere
Teelichter

1. Für die großen Lichttüten aus Japanpapier Rechtecke mit 35 mal 19 cm schneiden, für die kleinen Rechtecke mit 23 mal 14 cm. Die Hälfte einer Längskante markieren. Rechteck zur Tüte drehen, die Spitze liegt an der Markierung. Kanten ca. 2 cm breit übereinanderkleben. Aus Karton einen Kreis mit 5 bzw. 4 cm Durchmesser schneiden. Als Boden in die Tüte kleben.
2. Für den Fuß der großen Lichttüte 70 cm Draht abzwicken, die Enden zu Ringen mit 9 und 7 cm Durchmesser biegen. Für die kleineren Füße 40 cm Draht abschneiden und die Enden zu Ringen mit 6 und 4 cm Durchmesser drehen. Den Draht zwischen den Ringen so nach oben biegen, daß der kleinere Ring mittig über dem großen liegt. Tüte in den kleineren Ring stecken, Teelicht auf den Tütenboden stellen.

FESTLICHER TISCH
(Foto rechte Seite)

Für 1 Decke (200 mal 140 cm)
Für 4 Servietten (50 mal 50 cm)

3 m ecrufarbenes Leinen
140 cm breit
2,10 m Lamé in Gold
140 cm breit
Stoffmalfarbe in Gold
1 Pinsel
unterschiedlich große
Ausstechformen in Stern-
Mond- und Herzform

1. Stoffbahn aus Leinen in der Waschmaschine waschen, damit das Leinen beim späteren Waschen nicht einläuft. Trocknen lassen. Für Servietten vier Quadrate von 50 mal 50 cm und für die Tischdecke ein Rechteck von 140 mal 200 cm zuschneiden. Aus Lamé für die Serviettenumrandung 16 Streifen von 52 mal 8 cm und für die Tischdecke je zwei Streifen von 202 mal 32 cm zuschneiden. Die Maßangaben enthalten 1 cm Nahtzugabe.
2. Rand für die Tischdecke und

Servietten nähen: Immer vier entsprechend große Streifen an den Querkanten rechts auf rechts aufeinanderlegen. An jedem Ende eine rechtwinklige Spitze steppen, dabei 1 cm am Anfang und Ende der Naht offenlassen. Überstehenden Stoff bis auf 1 cm zurückschneiden. Nahtzugabe auseinanderbügeln. Ränder wenden. Links auf links doppelt legen und einen Bruch bügeln.
3. Auf den Servietten im Abstand von 2 cm zu den Stoffkanten eine Linie aufzeichnen. An der Tisch-

decke ringsum 14 cm aufzeichnen. Entsprechend große Lameränder an die Servietten bzw. Tischdecke stecken. Eine Stoffkante rechts auf rechts an die angezeichnete Linie stecken. Dann von Ecke zu Ecke aufsteppen. Nahtzugaben in den Rand bügeln. Rand um die Leinenstoffkante legen. Offene Kante flach über die Ansatznaht einschlagen und anbügeln. Anschließend den Rand von rechts schmalkantig absteppen und dabei die eingeschlagene Stoffkante von rechts mitfassen.

4. Ausstechformen als Schablonen verwenden. Sterne, Herzen und Monde auf der Tischdecke diagonal in der Mitte dicht verstreut aufzeichnen. Einzelne Sterne nach Belieben aufzeichnen. In eine Serviettenecke drei Motive aufzeichnen. Zum Schluß die Innenfläche der Motive mit Stoffmalfarbe ausmalen. Trocknen lassen. Anschließend Farbe von rechts mit einem Tuch durch Bügeln fixieren.

Der Christbaum der armen Kinder

Kinder sind ein seltsames Volk: Sie drängen sich in Träume und Gedanken. Vor Weihnachten und dann wieder am Christabend selbst begegnete mir regelmäßig an einer bestimmten Straßenecke ein kleiner Junge. Trotz der grimmigen Kälte war er fast sommermäßig gekleidet. Er ging mit dem »Händchen«, so lautet der technische Ausdruck, und er bedeutet betteln. Den Ausdruck haben diese Jungen selbst erfunden. Solche Jungen wie er gibt es eine Menge, sie laufen einem überall in den Weg und jammern etwas Auswendiggelerntes. Dieser aber jammerte nicht und sprach auch unschuldig und außergewöhnlich, und seine Augen sahen mich voll Vertrauen an.

Solch ein junger Wildling weiß oft so gut wie nichts, weder in welchem Land er wohnt noch welcher Nation er angehört, ob es einen Gott gibt, einen Zaren oder – ja, man spricht von so viel Unwissenheit bei ihnen, daß man es kaum glauben kann. Und dennoch sind dies Tatsachen.

Doch ich bin ein Schriftsteller, und ich glaube, diese »Geschichte« habe ich selbst erfunden. Aber es scheint mir, daß sie irgendwann, irgendwo wirklich geschehen sei, am Christabend in einer großen Stadt und bei arger Kälte.

Ich sehe einen kleinen Jungen, der in einem feuchten und kalten Keller erwachte. Er hatte nur ein altes Kittelchen an und zitterte vor Kälte. Er sah seinen Atem, der wie ein weißer Dampf seinem Mund entströmte, und da es langweilig war, auf dem Koffer im Winkel zu sitzen, so hauchte er immer wieder diesen Atem recht stark heraus und sah dann zu, wie der Dampf sich ballte und verschwand. Aber er hatte Hunger und wollte etwas essen. Er war schon mehrmals zu der Lagerstätte gegangen, wo auf einem alten, dünnen Schlafsack, irgendein Bündel Kissen unter dem Kopf, seine kranke Mutter lag. Wie sie hierherkam? Vermutlich war sie mit ihrem Jungen aus einer anderen Stadt gekommen und hier erkrankt. Die Winkelvermieterin des Kellers war schon vor zwei Tagen von der Polizei abgeführt worden, und die anderen Winkelmieter hatten sich verlaufen.

Auf dem Flur fand der Junge etwas zu trinken, aber eine Brotkruste war nirgends zu finden, und wieder versuchte er, seine Mutter aufzuwecken. Ihm wurde schließlich bange in der Dunkelheit: Es war schon längst dunkel geworden, aber niemand machte Licht. Als seine Hand das Gesicht der Mutter berührte, wunderte er sich, daß es so kalt war wie die Wand. »Das ist hier aber mal kalt!« dachte er, und dabei fiel ihm sein Mützchen ein, das auf seinem Lager lag. Als er es aufgesetzt hatte, beschloß er, den Kellerraum zu verlassen. Und schon stand er draußen.

O Gott, was war das für eine Stadt! Dort, von wo er mit der Mutter gekommen war, war es so finster wie die Nacht. Die Fenster der niedrigen Häuser wurden abends mit Läden verschlossen; auf der Straße war, sobald nur die Dämmerung sank, niemand mehr zu sehen. Doch warm war es dort gewesen, und man hatte ihm zu essen gegeben. Hier aber – ach, wenn er doch nur etwas zu essen hätte! Und was ist das nur für ein Lärm und Gesumm, und wieviel Licht und Menschen und Pferde und Wagen – und die Kälte! Aus den Nüstern der heißgejagten Tiere strömt weißer Dampf, durch den weichen, lockeren Schnee schlagen die Hufe zuweilen hellklingend auf das Steinpflaster. Und wie die Menschen sich alle drängen! Und, lieber Gott, wie gern er etwas essen würde, wenn auch nur ein kleines Stückchen, gleichviel was. Und die Finger schmerzen so sehr.

Und da ist wieder eine andere Straße. Da ist es aber wirklich schön. Aber was ist denn das? Oh, was für ein großes Fenster, und hinter dem Fenster ist ein Zimmer, und in diesem Zimmer ist ein Baum bis an die Decke, ein Christbaum, eine große Tanne, und an der flimmern so viel Flämmchen, so viele goldene Sachen und hängen Äpfel, und ringsum sind Püppchen und Pferde, und Kinder laufen im Zimmer umher, und alle sind sie so festlich gekleidet, so sauber und schön, und sie lachen und spielen und trinken und essen schönes Naschwerk. Und da hört man auch Musik, durch die großen Scheiben hört man sie ganz deutlich. Der kleine Junge schaut und wundert sich, aber dann spürt er doch wieder, daß ihn die Hände so schmerzen, und er läuft weiter.

Wieder sieht er durch ein Fenster ein Zimmer. Dort sind mehrere solcher Bäume, aber nicht so große, und auf den Tischen sind lauter Kuchen, rote und gelbe und weiße und braune, und hinter dem langen Tisch stehen vier reichgekleidete Damen, und jedem, der an den Tisch kommt, geben sie von ihren schönen Kuchen. Die Tür öffnet sich jeden Augenblick, und viele Menschen gehen von der Straße zu ihnen hinein. Der Junge steht und guckt; und wie die Tür sich wieder öffnet, da schlüpft auch er hinein.

Ach, wie man ihm böse ist, ihn anschreit und fortjagt! Eine von den Damen kommt schnell auf ihn zu, gibt ihm eine Kopeke, und dann öffnet sie selbst die Tür und schickt ihn wieder hinaus auf die Straße . . .Wie er erschrak! Die Kopeke fiel ihm gleich aus der Hand und schlug klirrend auf die Treppenstufe. Er konnte die blauroten Finger nicht mehr biegen, um sie zu halten.

So schnell er kann, läuft er weiter. Aber wohin? Er ist so traurig, so bitter traurig, darüber, daß er sich so allein und verlassen fühlt, und Bangigkeit will wieder über ihn kommen. Doch plötzlich – was gibt es dort wieder zu sehen? Da stehen die Menschen dicht gedrängt und staunen: Hinter großen Scheiben stehen drei kleine Puppen in roten und grünen Kleidchen, und ein alter Mann spielt auf einer großen Geige, zwei andere spielen auf kleinen Geigen und nicken dazu im Takt mit den Köpfen. Zuerst dachte das Kind, daß sie alle wirklich lebendig seien, als es aber dann erriet und sich überzeugte, daß es Püppchen waren, da mußte es lachen. Solche Püppchen hatte der Kleine noch nie gesehen.

Plötzlich fühlte er, daß ihn jemand hinten am Röckchen packt: Ein großer Junge steht hinter ihm, haut ihn plötzlich auf den Kopf, reißt ihm das Mützchen ab und versetzt ihm einen derben Tritt. Der Kleine fällt hin. Doch da schreit schon alles und schilt, daß ihm angst und bange wird und er aufspringt und läuft und läuft, bis die hellen Straßen hinter ihm liegen. Unter einem Hoftor kriecht er auf einen fremden Hof und hockt sich dort hinter einem Holzstapel hin. »Hier wird man mich nicht finden, und es ist auch dunkel«, denkt er.

Und so hockt er ganz still und kauert sich zusammen und kann kaum noch atmen vor Angst. Aber plötzlich, ganz plötzlich, wird ihm so wohl, die Füße und Hände schmerzen nicht mehr, und ihm wird so warm wie auf einem Ofenbänkchen. »Ich werde hier noch ein Weilchen sitzen, und dann gehe ich wieder zu den Püppchen«, denkt er und lächelt in Gedanken an sie. Und dann ist es ihm, als höre er auf einmal seine Mutter singen, ganz leise, aber er hört es doch. »Mama, ich schlafe – ach, wie ist es hier schön zu schlafen.«

»Komm zu mir, zum Christbaum, es ist Weihnacht, Kind«, flüstert über ihm eine leise Stimme.

Er denkt, das wäre nun seine Mama, aber nein, das ist sie nicht. Wer rief ihn denn? Das sieht er nicht, aber jemand beugt sich über ihn und umfängt ihn in der Dunkelheit, und er streckt ihm die Hand entgegen – da plötzlich – oh, wieviel Licht! Welch ein Christbaum! Es leuchtet und strahlt alles um ihn, viele schöne Puppen überall – doch nein, das sind ja alles kleine Knaben und Mädchen. Sie schweben, sie küssen ihn, sie tragen ihn mit sich fort. Er fühlt, daß er schon schwebt – und dort, ja, dort ist seine Mama, die nickt und lächelt ihm selig zu.

»Mama! Mama! Ach, wie ist es hier schön, Mama!« ruft der Junge. Er umarmt die Kinder und will ihnen schnell alles von den Püppchen erzählen. »Wer seid ihr, Jungen, und wer seid ihr, Mädchen?« fragt er sie lachend und hat sie alle schon lieb.

»Es ist hier Weihnacht beim Christkind«, antworten sie ihm, »das ist hier im Himmel immer ein Christfest für all die kleinen Kinder, die auf Erden keinen Christbaum haben.« Und er erfährt, daß alle die Jungen und Mädchen einst auf Erden ebensolche Kinder waren wie er.

Die Mütter dieser Kinder stehen auch dort. Sie weinen, und eine jede erkennt ihren Jungen oder ihr Mädchen, die nun zu ihnen schweben und sie küssen. Sie wischen ihnen die Tränen mit ihren Händen von den Wangen und bitten sie, nicht zu weinen, denn sie hätten es jetzt ja so gut . . .

Fedor M.
Dostojewskij

KEKSE AUS SPRITZGEBÄCK

Für 30 Stück

100 g Butter oder Margarine
100 g Puderzucker
1 Prise Salz
1 TL Orangenback
1 Ei
150 g Mehl
100 g Speisestärke
1 Prise Backpulver
40 g gemahlene Haselnüsse
3 EL Schlagsahne

1. Butter, Puderzucker, Salz und Orangenback in eine Schüssel geben und mit den Quirlen des Handrührers schaumig schlagen. Das Ei darunterrühren. Mehl, Speisestärke und Backpulver mischen und über die Fett-Ei-Mischung sieben. Haselnußmehl und Sahne zufügen und alles unterrühren.
2. Teig in einen Spritzbeutel mit großer Tülle füllen. Kringel und Kreise auf ein mit Backpapier ausgelegtes Backblech spritzen. In den vorgeheizten Backofen schieben und bei 175 Grad etwa 12 Minuten backen. Das Gebäck auf einem Kuchengitter auskühlen lassen. Nach Belieben verzieren, mit Bändern versehen und in den Baum hängen.

KEKSE AUS HONIGKUCHENTEIG

Für etwa 1 kg Teig

250 g Honig
100 g Butter oder Margarine
125 g Zucker
1 Ei
500 g Mehl
1 TL Backpulver
1 EL Lebkuchengewürz
1 TL Kakao
1 Prise Salz

1. Honig, Fett und Zucker in einem Topf unter Rühren erhitzen, bis der Zucker gelöst ist, lauwarm abkühlen lassen. Ei unter die Honigmasse rühren. Mehl, Backpulver, Gewürz, Kakao und Salz mischen, nach und nach zufügen und den Rest mit der Hand unterkneten. Den Teig abgedeckt 3–4 Stunden ruhen lassen.
2. Teig dann etwa 5 mm dick ausrollen und Sterne, Kerzen und Kreise ausstechen, Löcher für Bänder vorsehen! Auf ein mit Backpapier ausgelegtes Backblech setzen. Im vorgeheizten Backofen bei 200 Grad etwa 12 Minuten backen. Nach dem Abkühlen verzieren, z.B. wie auf dem Foto rechts.

KEKSE AUS MÜRBETEIG

Für etwa 500 g Teig

50 g Zucker
125 g Margarine
250 g Mehl
½ TL abgeriebene Zitronenschale
je 1 Prise Muskat,
Kardamom und
Salz
1 Ei

1. Alle Zutaten in eine Schüssel geben und mit den Knethaken des Handrührers durcharbeiten. Dann mit den Händen schnell zu einem geschmeidigen Teig verkneten. In Klarsichtfolie einpacken und mindestens 2 Stunden kalt stellen.
2. Teig dann zwischen Klarsichtfolie etwa messerrückendick ausrollen. Nach Belieben Figuren, z.B. Tiere, ausstechen und auf ein mit Backpulver ausgelegtes Backblech setzen. In den vorgeheizten Backofen schieben und bei 175 Grad etwa 8 Minuten backen. Abgekühlt verzieren (siehe Foto rechts).

BAUMSCHMUCK AUS BAISER

Für etwa 40 Stück

4 Eiweiß
100 g Zucker
75 g Puderzucker
15 g Speisestärke

Außerdem:
Liebesperlen
farbiger Zucker
Zuckerstreusel

1. Die Eiweiße steifschlagen. Unter ständigem Weiterschlagen den Zucker einrieseln lassen. Den Puderzucker mit der Speisestärke durchsieben und unter den Schnee heben. Die Baisermasse in einen Spritzbeutel mit Lochtülle füllen. Das Backblech mit Backpapier auslegen und nach Belieben Formen wie Herzen, Kreise, Handstücke und Notenschlüssel aufspritzen. Mit Liebesperlen, farbigem Zucker und Zuckerstreuseln verzieren.
2. Die Baiserformen in den vorgeheizten Backofen schieben und bei 100 Grad 3–4 Stunden trocknen lassen. Dabei einen Holzlöffel in die Türöffnung stecken. Das Gebäck nach Geschmack mit Speisefarbe bemalen, mit bunten Bändern versehen und an den Baum hängen.

Nicht vergessen: Kekse für den Weihnachtsbaum brauchen ein kleines Loch, damit man sie aufhängen kann. Das stechen Sie entweder mit der Spritztülle in den rohen Teig – oder Sie stecken ein Stückchen Makkaroni in das Plätzchen. Dann kann sich das Loch beim Backen nicht schließen. Und die Nudel läßt sich nach dem Backen mit vorsichtiger Drehbewegung leicht aus dem noch warmen Teig ziehen.

SPRINGERLE

Für 50 Stück

4 große Eier
500 g Puderzucker
5 g Hirschhornsalz
500 g Mehl
1 TL Anissamen

1. Eier und Puderzucker mit den Quirlen des Handrührers etwa 10 Minuten auf höchster Schaltstufe schaumig rühren. Hirschhornsalz in 2 Eßlöffel Wasser auflösen und mit Mehl und Anissamen dazugeben. Alles mit den Händen verkneten (der Teig darf nicht kleben).

2. Auf einer mehlbestäubten Arbeitsfläche etwa 1 cm dick ausrollen. Die Teigoberfläche mit Mehl bestäuben. Teigstücke in Größe der Form (Model) ausschneiden und in die mit Mehl bestäubte Model drücken. Das Teigstück auf ein mit Backpapier ausgelegtes Backblech setzen und die Ränder mit dem passenden Ausstecher ausstechen oder mit dem Messer ausschneiden. Die Teigformen 24 Stunden trocknen lassen.

3. Im Backofen bei 120 Grad etwa 4 Stunden blaßgelb backen bzw. trocknen lassen. Die Springerle kann man mit Speisefarben bunt anmalen.

Das Weihnachtsbäumchen

Es war einmal ein Tännelein
mit braunen Kuchenherzlein
und Glitzergold und Äpfeln fein
und vielen bunten Kerzlein:
Das war am Weihnachtsfest so grün,
als fing es eben an zu blühn.

Doch nach nicht gar zu langer Zeit,
da stands im Garten unten,
und seine ganze Herrlichkeit
war, ach, dahingeschwunden.
Die grünen Nadeln war'n verdorrt,
die Herzlein und die Kerzlein fort.

Bis eines Tags der Gärtner kam,
den fror zu Haus im Dunkeln,
und es in seinen Ofen nahm –
hei! tats da sprühn und funkeln!
Und flammte jubelnd himmelwärts
in hundert Flämmlein an Gottes Herz.

Christian Morgenstern

GERICHTE FÜR WEIHNACHTEN

Endlich ist es soweit. Für die Kinder ist, nach der ganzen Spannung vorher, mit dem geschmückten Baum in seinem Lichterglanz und der Freude beim Auspacken der Geschenke eigentlich alles klar. Für Sie als Hausfrau dreht es sich nun allerdings um die Frage, was gibt es an den Festtagen Gutes zu essen. Für Heiligabend bieten sich Gerichte an, die sich entweder gut vorbereiten lassen oder die, mehr oder weniger von allein, im Ofen garen. So ein richtiges üppiges Festtagsmenü kommt dann am nächsten Tag auf den Tisch. Und was machen die Singles, die nicht (mehr) zu den Eltern fahren (wollen)? Warum nicht einmal Heiligabend im Freundeskreis verbringen; es muß nicht immer besinnlich zugehen, Sie können auch ein richtig fröhliches Fest veranstalten. Dafür bietet sich ein Fondue oder ein leckerer Braten an. Vielleicht haben auch einige Ihrer Gäste Lust, noch etwas Eßbares beizusteuern, aber das sollten Sie besser vorher absprechen.

Es begab sich aber zu der Zeit …

Es begab sich aber zu der Zeit, daß ein Gebot von dem Kaiser Augustus ausging, daß alle Welt geschätzt würde.

Und diese Schätzung war die allererste und geschah zu der Zeit, da Curenius Landpfleger in Syrien war.

Und jedermann ging, daß er sich schätzen ließe, ein jeglicher in seine Stadt.

Da machte sich auf auch Joseph aus Galiläa, aus der Stadt Nazareth, in das jüdische Land zur Stadt Davids, die da heißt Bethlehem, darum daß er von dem Hause und Geschlechte Davids war,

und daß er sich schätzen ließe mit Maria, seinem vertrauten Weibe, die war schwanger.

Und als sie daselbst waren, kam die Zeit, daß sie gebären sollte.

Und sie gebar ihren ersten Sohn und wickelte ihn in Windeln und legte ihn in eine Krippe; denn sie hatten sonst keinen Raum in der Herberge.

Und es waren Hirten in derselben Gegend auf dem Felde bei den Hürden, die hüteten des Nachts ihre Herde.

Und siehe, des Herrn Engel trat zu ihnen, und die Klarheit des Herrn leuchtete um sie und sie fürchteten sich sehr.

Und der Engel sprach zu ihnen: Fürchtet euch nicht! siehe, ich verkünde euch große Freude, die allem Volk widerfahren wird;

denn euch ist heute der Heiland geboren, welcher ist Christus, der Herr in der Stadt Davids.

Und das habt zum Zeichen: ihr werdet finden das Kind in Windeln gewickelt und in einer Krippe liegen.

Und alsbald war da bei dem Engel die Menge der himmlischen Heerscharen, die lobten Gott und sprachen:

Ehre sei Gott in der Höhe und Friede auf Erden und den Menschen ein Wohlgefallen!

Und da die Engel von ihnen gen Himmel fuhren, sprachen die Hirten untereinander: Laßt uns nun gehen gen Bethlehem und die Geschichte sehen, die da geschehen ist, die uns der Herr kundgetan hat.

Und sie kamen eilend und fanden beide, Maria und Joseph, dazu das Kind in der Krippe liegen.

Da sie es aber gesehen hatten, breiteten sie das Wort aus, welches zu ihnen von diesem Kinde gesagt war.

Und alle, vor die es kam, wunderten sich der Rede, die ihnen die Hirten gesagt hatten.

Maria aber behielt alle diese Worte und bewegte sie in ihrem Herzen.

Und die Hirten kehrten wieder um, priesen und lobten Gott um alles, was sie gehört und gesehen hatten, wie denn zu ihnen gesagt war.

Aus dem Lukas-Evangelium

Stille Nacht, heilige Nacht

1. Stil - le Nacht, hei - li-ge Nacht! Al - les schläft, ein - sam wacht

nur das trau-te, hoch-hei - li-ge Paar. Hol - der Kna - be im lo - cki-gen Haar,

schlaf in himm-li-scher Ruh! Schlaf in himm-li-scher Ruh!

2. Stille Nacht, heilige Nacht!
Hirten erst kundgemacht,
durch der Engel Halleluja
tönt es laut von fern und nah:
|: Christ, der Retter, ist da :|

3. Stille Nacht, heilige Nacht!
Gottes Sohn, o wie lacht
Lieb aus deinem göttlichen Mund,
da uns schlägt die rettende Stund,
|: Christ, in deiner Geburt! :|

Text: Joseph Mohr
Melodie: Franz Gruber

STOCKFISCHSUPPE

Für 4 Personen

500 g Stockfischfilet
ohne Gräten
500 g Kartoffeln
4 vollreife Tomaten
1 Knoblauchzehe
1 Chilischote
Salz
5 EL Öl
Salz
weißer Pfeffer
¾ l heiße Fleischbrühe
(aus Extrakt)
1 Bund Petersilie

1. Stockfischfilet in einer Schüssel mit kaltem Wasser übergießen. 24 Stunden wässern. Dabei hin und wieder das Wasser erneuern.
2. Filet herausnehmen. Abtropfen lassen, in ca. 2 cm große Würfel schneiden und in einen großen Topf legen.
3. Kartoffeln schälen, waschen, in knapp 1 cm große Würfel schneiden und über den Fisch geben. Tomaten mit kochendheißem Wasser übergießen, häuten, halbieren und entkernen. Durch ein Sieb passieren. Knoblauchzehe schälen, Chilischote abspülen, entkernen und zerkleinern. Knoblauch mit Salz zerdrücken. Beides mit dem

Tomatenpüree mischen. Über die Kartoffeln verteilen. Öl darübergießen. Mit Salz und Pfeffer würzen.
4. Bei schwacher Hitze 10 Minuten dünsten. Dann nach und nach die heiße Fleischbrühe angießen.
5. Petersilie abspülen, trockentupfen und hacken. Die Hälfte davon in die Suppe streuen. 20 Minuten schwach kochen lassen. Suppe abschmecken und in eine vorgewärmte Terrine schütten. Mit der restlichen Petersilie bestreut servieren.

HAMBURGER HERINGSSALAT

Für 6–8 Personen

6 Matjesfilets
⅛ l Milch, ¼ l Wasser
250 g Kalbfleisch
250 g mageres Schweinefleisch
Salz
40 g Margarine
¼ l heißes Wasser
250 g Kartoffeln
250 g Rote Bete
½ Sellerieknolle
3 saure Äpfel
5 hartgekochte Eier
4 Bismarckheringe
4 Gewürzgurken
1 Gläschen Kapern
2 Bund Petersilie

Für die Marinade:
8 EL Bratensaft
4 EL Essig, 8 EL Öl
1 EL scharfer Senf
Salz, weißer Pfeffer
Zucker

1. Matjesfilets unter fließendem Wasser abspülen. In Milch und Wasser in einer Schüssel über Nacht stehenlassen.
2. Kalb- und Schweinefleisch abspülen, mit Küchenpapier trockentupfen. Leicht salzen. Margarine in einem Topf erhitzen, Fleisch darin rundherum 10 Minuten anbraten. Mit heißem Wasser aufgießen. 45 Minuten schmoren. Abkühlen lassen. Bratensaft aufheben.
3. Kartoffeln, Rote Bete und Sellerieknolle waschen. Getrennt in etwa 30 Minuten gar kochen. Anschließend schälen. Äpfel schälen, vierteln und Kerngehäuse herausschneiden. Eier ebenfalls schälen. Bismarckheringe häuten. Matjesfilets abtropfen lassen, mit Küchenpapier trockentupfen.
4. Fleisch, Matjesfilets, Bismarckheringe, Kartoffeln, Rote Bete, Sellerie, Äpfel, Eier und Gewürzgurken in ½ cm große Würfel schneiden.
5. Abgetropfte Kapern hacken. Petersilie waschen, trockentupfen und hacken. Alles in einer großen Schüssel miteinander mischen. Für die Marinade Bratensaft, Essig, Öl und Senf verrühren. Mit Salz, Pfeffer und Zucker abschmecken. Über den Salat gießen. An einer kühlen Stelle mindestens 5 Stunden ziehen lassen. Umrühren und nach Geschmack nachwürzen.

PASTETE MIT MÖHREN UND CHAMPIGNONS

(Foto unten)

Für 4–6 Personen

1 große Zwiebel, 2 EL Butter
250 g Möhren, 250 g Champignons
300 g Schweinemett, 400 g Kalbsbrät
5 EL Semmelbrösel, 1 Ei
25 g Pistazien, gehackt
1 Bund Petersilie
1 EL Pastetengewürz
Salz, Pfeffer aus der Mühle
Fett für die Form

1. Die Zwiebel schälen, fein hacken und in heißer Butter glasig dünsten. Die Champignons putzen, waschen oder nur mit Küchenpapier abreiben, blättrig schneiden und 5 Minuten dünsten.
2. Die Möhren abschrubben oder schälen und in ganz kleine Würfel schneiden. In kochendem Salzwasser 2 Minuten blanchieren, eiskalt abschrecken und sehr gut abtropfen lassen.
3. Das Schweinemett mit Kalbsbrät, Semmelbröseln, Ei, Pistazien, Champignons und Möhrenwürfeln in eine Schüssel füllen.
4. Die Petersilie abbrausen, von den Stengeln zupfen, fein hacken und zufügen. Die Masse mit Pastetengewürz, Salz und Pfeffer kräftig abschmecken und gut mischen.
5. Eine Kastenform von 1 l Inhalt einfetten, mit der Masse füllen und eine Stunde kalt stellen. Dann im vorgeheizten Backofen bei 200 Grad auf der untersten Schiene 50 Minuten garen. Noch 15 Minuten im ausgeschalteten Ofen ruhen lassen, dann stürzen. Die Pastete warm oder abgekühlt servieren.

LAMMKEULE MIT KARTOFFELN UND GEMÜSE

Für 8 Personen

1 unbehandelte Zitrone
2 Knoblauchzehen
1 Bund Thymian
½ l trockener Weißwein
6 EL Olivenöl
1 Lammkeule
(ca. 2 kg)
Salz
schwarzer Pfeffer
500 g kleine Kartoffeln
1 Bund Frühlingszwiebeln
500 g Tomaten
2 rote Paprikaschoten

1. Für die Marinade etwa die Hälfte der Zitronenschale dünn abschneiden und hacken. Den Saft auspressen. Die Knoblauchzehen abziehen, zerdrücken oder fein hacken. Den Thymian waschen, die Blättchen abstreifen.

2. Alle diese Zutaten mit Wein und Öl verrühren. Lammkeule in eine große Schüssel aus Porzellan, Keramik, Steingut oder Glas geben und die Marinade darübergießen. Zugedeckt im Kühlschrank etwa 24 Stunden ziehen lassen, dabei mehrmals wenden.

3. Zum Braten die Keule rundherum salzen und mit Pfeffer aus der Mühle würzen und mit der Marinade in die Fettpfanne des Backofens geben.

4. Fettpfanne in den kalten Backofen auf die untere Schiene schieben. Den Ofen auf 160 Grad schalten. Die Keule 1½ Stunden schmoren; dabei einmal wenden und einige Male mit der Schmorflüssigkeit übergießen.

5. Während die Lammkeule brät, Kartoffeln schälen und waschen. Um die Lammkeule legen und 1 weitere Stunde schmoren.

6. Frühlingszwiebeln nur von den Wurzelansätzen und den welken Blättern befreien, waschen und mit den saftigen grünen Blättern in etwa 5 cm lange Stücke schneiden. Tomaten mit kochendem Wasser übergießen, kurz darin ziehen lassen, kalt abschrecken, häuten und vierteln. Dabei die Stielansätze heraus-

schneiden. Paprikaschoten waschen und achteln. Kerne entfernen.

7. Gemüse um die Keule legen, mit Salz und Pfeffer würzen und etwa 30 Minuten schmoren, bis es weich ist. Die Temperatur auf starke Oberhitze oder hohe Grillstufe schalten und die Keule 5–10 Minuten überkrusten. Keule aus dem Ofen nehmen und vor dem Anschneiden 10 Minuten in Alufolie gewickelt ruhen lassen. Kartoffeln und Gemüse währenddessen im abgeschalteten Backofen heiß halten.

8. Eine Serviette um den Knochen der Lammkeule wickeln. Die Keule am Knochen festhalten, aufrecht auf ein Brett stellen und das Fleisch in dicken Scheiben rundherum vom Knochen schneiden.

9. Fleisch mit Kartoffeln und Gemüse auf heißen Tellern anrichten. Schmorflüssigkeit aus dem Bräter darauf verteilen.

REBHUHN IN WIRSING

Für 4 Personen

1 Wirsing (ca. 1 kg)
Salz, 4–5 EL Butter
2 Rebhühner
200 g Speck
2 Knoblauchzehen
6 Wacholderbeeren
je 1 TL getrockneter Salbei
und Thymian
5 Pfefferkörner, körniges Salz
frischgeriebene Muskatnuß
½ l Hühnerbrühe (aus Extrakt)
1 EL Mehl
1 Glas trockener Weißwein
etwas Saft von 1 Orange

1. Wirsing putzen, waschen und in feine Streifen schneiden. Einige Minuten in siedendem Salzwasser blanchieren. In ein Sieb abgießen, in kaltem Wasser abschrecken und abtropfen lassen.

2. 3 Eßlöffel Butter in einer Pfanne erhitzen und die Rebhühner darin rundum anbräunen.

3. Den Speck in feine Streifen schneiden. In einem Mörser geschälten Knoblauch, Wacholderbeeren und Kräuter mit Pfeffer, Salz und Muskat zerstoßen.

4. Eine große feuerfeste Terrine ausbuttern. Die Hälfte des Wirsings einlegen und mit der Würzmischung bestreuen. Die Rebhühner darauf geben und mit dem übrigen Wirsing bedecken. Bratfett und Hühnerbrühe zugießen. Deckel aufsetzen und 2–3 Stunden bei 160–180 Grad im vorgeheizten Backofen garen.

5. Rebhühner aus der Terrine nehmen, entbeinen, häuten und das Fleisch in Streifen schneiden. Die Garflüssigkeit aus der Terrine abgießen und auffangen. Das Fleisch unter den Kohl mischen und die Terrine im Ofen warm halten.

6. Die Garflüssigkeit in einem Pfännchen einköcheln lassen. 1 Eßlöffel Butter mit Mehl verkneten und einrühren. Mit dem Wein strecken und mit Orangensaft abschmecken. Je nach Geschmack noch etwas Cumberlandsauce unterrühren. Terrine und Sauciere mit frischem Baguette servieren.

KARPFEN BLAU

Für 4 Personen

1 Karpfen
(ca. 1,5 kg),
fertig ausgenommen
Salz
¼ l Essig
⅛ l Weißwein
¼ l Wasser
1 Zwiebel
1 Bund Suppengemüse
1 Lorbeerblatt
3 Pfefferkörner
½ Zitrone
40 g Butter

Außerdem:
½ Zitrone
1 EL Meerrettich
aus dem Glas
Petersilienstengel

1. Karpfen vorsichtig unter fließendem kaltem Wasser innen und außen waschen. Dabei darf die Haut des Karpfens, die mit der Schleimschicht überzogen ist, nicht verletzt werden, sonst färbt er sich nicht mehr blau.
2. Kiemenklappen hochheben und die Kiemen mit einer Küchenschere herausschneiden. Nochmals waschen, trockentupfen und innen salzen.
3. Essig, Wein und Wasser in einen Bräter geben. Zwiebel schälen und in Ringe schneiden, Suppengrün waschen und putzen und würfeln. Zwiebeln, Suppengrün, Gewürze und Zitronenhälfte in den Sud geben und 5 Minuten kochen lassen.
4. Karpfen in den Topf legen und ca. 30 Minuten bei niedriger Hitze im geschlossenen Topf gar ziehen lassen.

5. Mit zwei Schaumlöffeln aus dem Sud nehmen und abtropfen lassen. Auf einer vorgewärmten Platte anrichten. Butter in einem Topf zerlassen und getrennt dazu reichen. Zitronenhälfte mit Meerrettich füllen, auf die Platte legen und um den Karpfen die Petersilienstengel arrangieren. Sofort servieren.

FONDUE CHINOISE

Für 4 Personen

800 g Rinderfilet
1 l Rindfleischbrühe
(selbstgemacht oder aus Extrakt)
2 EL Weißwein
3 TL Sojasauce

1. Fett und weiße Häutchen vom Fleisch entfernen und es in Würfel oder Streifen schneiden. Auf Teller verteilen.
2. Rindfleischbrühe erhitzen und mit Weißwein und Sojasauce abschmecken. Die heiße Brühe in den Fonduetopf füllen. Zum Fondue verschiedene Saucen (siehe unten) servieren.
3. Wenn alles Fleisch gegessen ist, wird die Fleischbrühe in Tassen verteilt und ist ein wunderbarer Abschluß eines geselligen Essens.

SCHNITTLAUCH-SAUCE

150 g Doppelrahmfrischkäse
150 g saure Sahne
75 g Meerrettich (aus dem Glas)
100 g Crème fraîche
Salz
Pfeffer aus der Mühle
Saft von ½ Zitrone
2 Bund Schnittlauch

1. Frischkäse, saure Sahne, Meerrettich und Crème fraîche verrühren. Pikant mit Salz, Pfeffer und Zitronensaft abschmecken.
2. Schnittlauch waschen, trockentupfen und fein hacken. Unter die Sauce mischen.

INGWERSAUCE

50 g frische Ingwerwurzel
1 kleine rote Pfefferschote
100 ml Gemüsebrühe (aus Extrakt)
2 EL Orangensaft
2 EL Sojasauce
Salz
1 Prise Zucker
4 EL Maiskeimöl

1. Ingwer mit einem kleinen Messer schälen und auf der Rohkostreibe fein reiben. Die Pfefferschote halbieren, alle Kerne entfernen und die Schote ganz fein hacken.
2. Die Gemüsebrühe, den Orangensaft, die Sojasauce, 1 Prise Salz, den Zucker und das Maiskeimöl verrühren.
3. Den Ingwer und die Pfefferschote daruntermischen.

KNOBLAUCHSAUCE

4 Knoblauchzehen
½ Bund Basilikum
150 g Magerjoghurt
75 g Parmesankäse
100 g Crème fraîche
Salz, Cayennepfeffer
1 EL Zitronensaft
2 EL Olivenöl

1. Den Knoblauch abziehen. Das Basilikum waschen und trockentupfen. Beide Zutaten mit Joghurt, dem zerbröckelten Parmesankäse und der Crème fraîche im Mixer oder Blitzhacker pürieren.
2. Die Sauce mit Salz, Cayennepfeffer, Zitronensaft und Olivenöl vermischen.

BRATÄPFEL

Für 4 Personen

4 große aromatische Äpfel
20 g kandierter Ingwer
30 g Orangeat
2 EL geröstete, gehackte Haselnüsse
1 Msp. Zimt
2 EL flüssiger Honig
Butter für die Form
und Butterflöckchen

1. Den Backofen auf 200 Grad vorheizen. Eine feuerfeste Form gut mit Butter einfetten.

2. Die Äpfel waschen, abtrocknen, die Kerngehäuse mit einem Apfelausstecher entfernen. Ingwer und Orangeat in sehr kleine Würfel schneiden und mit den gehackten Nüssen und dem Zimt vermischen. Zum Schluß den leicht flüssigen Honig unter die Trockenfrüchte mischen.

3. Die Äpfel in die Form setzen und die Füllung in die Apfelöffnungen verteilen. Die restliche Füllung um die Äpfel legen. Auf jeden Apfel ein Butterflöckchen setzen.

4. Die Form auf die mittlere Schiene in den Ofen schieben und die Äpfel etwa 30–40 Minuten braten. Statt Ingwer und Orangeat können Sie zur Abwechslung auch 2 Eßlöffel Rosinen und einen Schuß Calvados in die Füllung geben.

Eine Weihnachtsgeschichte

Und dann kam der Weihnachtsabend. Die jüngsten Kinder hatten in der Dämmerung ihren Bruder mit sich in eine Ecke des Eßzimmers gelockt und ihn gebeten, Märchen zu erzählen. Er war wohlgeübt in der Kunst, aus freier Hand die wunderbarsten Geschichten zu erfassen. Und nun dichtete er eine Weihnachtssage.

»Als das Kloster dort drüben«, sagte er, »seine machtvollsten Tage hatte und mit fleißigen Mönchen gefüllt war, da gab es dort auch einen überaus frommen Abt. Vater Anselm wurde er genannt und mit ihm war es das Merkwürdige, daß er nicht nur fromm, sondern auch weise und gelehrt war. Die Leute sagten von ihm, er könne zaubern und verstünde die Kunst, Gold zu machen; aber das war nicht wahr. Gewiß hatte er immer mit ängstlichem Eifer nach dem Stein der Weisen geforscht, der die langsame Entwicklung der Metalle beschleunigt und sie in ein paar Stunden zu Gold macht, denn alle Metalle sind eigentlich Gold, das in seiner Entwicklung mißglückt ist. Doch das war wahr, daß er vieles von den wunderbaren Geistern wußte, die in den Pflanzen und in der Luft und im Wasser wohnen, und er kannte deren Zeichen.

Als die Mitternachtsmesse in der Weihnachtsnacht gelesen werden sollte, führte dieser fromme Abt Anselm seine Mönche nicht in die Klosterkirche, ohne daß er mit ihnen durch den Garten zog. Rauchfässer schwingend und Hymnen zu Ehren des Gottessohnes und seiner Mutter singend, schritten die frommen Männer rund um den von hohen Mauern geschützten Klostergarten. Der Abt schwang den Weihwasserwedel über die kahlen Bäume und die gefrorene Mark. Er wollte, daß die Natur teilhaben sollte an der großen Freude, welche die Weihnachtsnacht allen Wesen der Welt gebracht hat.

Und da geschah es, daß sich innerhalb der schützenden Mauer das wunderbarste Leben entwickelte. Ein Südwind brauste heran und fegte Kälte und Schnee hinweg. Aus der Erde sprossen grünes Gras und schöngefärbte Blumen. Die Knospen warfen ihre schützenden Hüllen ab und die flaumigen Frühlingsblätter drängten sich hervor. Die Freude darüber, daß Gottes Sohn einmal in die Welt der Menschen eingetreten war, gab den Pflanzen eine solche Kraft, daß sie es vermochten, den Schlaf des Winters und die Fesseln der Kälte zu durchbrechen.

Und nicht früher war der Garten grün gekleidet, ehe nicht alle frierenden Vögel des Waldes hereinkamen, gelockt vom Duft und den warmen Winden, die über ihm spielten. Eichelhäher kamen auf ihren Schwingen und ahmten den Gesang aller Vögel des Sommers nach, während sie sich auf den Zweigen niederließen. Die rote Brust des Dompfaffen glänzte unter dem lichten Laubwerk, die kleinen Zaunkönige kamen staunend mit ihren goldenen Büscheln auf dem Kopf, und alle Spatzen der Bauernhöfe verließen ihre Weihnachtsgarben und kamen und drängten sich in den Büschen mit Seidenschwänzchen und Elstern. Und sogar die Eichhörnchen schwangen sich knurrend vor Wohlbehagen über die Mauer, und die Rehe kamen bis an die Gitterpforte des Gartens und blickten mit ihren schönen Augen herein.

Da ließ der gute Abt die Gartenpforte weit öffnen, damit alle Tiere des Waldes hereinkommen konnten, um sich zusammen mit Pflanzen und Menschen zu freuen.

Das Merkwürdigste von allem war jedoch, daß man auf einmal ein starkes Sausen in der Luft vernahm, als ob ein gefederter Pfeil durch die Luft geflogen kam, und dann senkte sich ein Storch in zierlichen Kreisen herab zu dem guten Abt. Das war des Klosters eigener Storch, der jeden Herbst hinunter nach Ägypten zog. Man kannte ihn wohl. Er hielt eine kleine Flasche im Schnabel und legte sie vor die Füße des Abtes. Der fromme Mann hob sie auf und besah sie und erbebte vor Freude. Sie war mit einer glitzernden Flüssigkeit gefüllt, die er wohl kannte, es war das Wasser des Lebens, oder der Stein der Weisen, das Fluidum, das die großen Meister beschrieben haben. Ein Tropfen davon genügte, um alle Kullersteine des Landes in Gold zu verwandeln. Das war die Weihnachtsgabe der Natur an den frommen Abt, der sie teilnehmen ließ an der Freude der Weihnachtsnacht.

Als die Mitternachtsmesse verrichtet war und Nordwind und Kälte wieder ihre Herrschaft über den Klostergarten angetreten hatten und der gute Abt wieder in seine Zelle gekommen war, füllte er einen Becher mit Wasser und in diesen träufelte er einen einzigen Tropfen von der glitzernden Flüssigkeit. Alles Wasser wurde da auf einmal zu schäumendem und duftendem Wein, und eifrig streckte der Abt die Hand aus, um den Becher an seine Lippen zu haben und Unsterblichkeit zu trinken.

Aber im gleichen Augenblick gellten Schreie, Rufe und Waffenlärm durch das stille Kloster. Der alte Feind seiner Einwohner, der wohlgeborene Herr Jens Kruse, hatte mit seinen Knechten das Kloster angefallen. Sie hatten die Gartentür offen gefunden und sich eingeschlichen und warfen sich nun über die Mönche in ihren Zellen, um ihnen die Schätze des Klosters zu entreißen. Zu Vater Anselm kam ein rauher Knecht, der lachte, ihn mit dem schäumenden Becher vor sich zu finden. Der Krieger stürzte sich auf ihn, band seine Hände und leerte seinen Becher. Die Flasche mit dem Wasser des Lebens warf er auf den

Boden, und wie Funken flogen die Tropfen in der Zelle umher.

Dieser Kriegsknecht zog danach in vielen Kriegen umher und war bei vielen Abenteuern dabei. Und dann fühlte auch er sich alt, seine Freunde starben, er stand einsam ohne Verwandte und Heim, und er wünschte sich den Tod. Aber der Tod kam nicht. Er rief ihn, er versuchte selbst den Langsamen zu beeilen, aber der Tod wich ihm aus. Er kam zu den entsetzlichsten Übeltätern und Verbrechern, aber nicht zu ihm. Mit Angst begann er zu glauben, daß der Tod ihn nicht erreichen konnte. Da erinnerte er sich an den Wein, den er bei dem zauberkundigen Abt getrunken hatte, und an die kleine Flasche, die mit Funken und Sternen gefüllt war. Da zog er hierher, um den Abt nach der Sache zu fragen.

Als er herkam, waren die Mönche vertrieben, der Abt tot und das Kloster niedergebrannt. Die Reformation und Herr Jens Kruse hatten diese Arbeit ausgeführt. Aber er suchte sich durch die Ruinen, bis er in die Keller hinunterkam, wo die Bücher des Klosters im feuerfesten Gewölbe verwahrt wurden. Er brach die schweren Folianten von den Ketten und Schlössern los, die sie an den Mauern befestigten, und setzte sich hin, um danach zu forschen, wie es sich mit dem Zaubertrunk des Abtes verhielt. Liebe Kinder, da unten im Klosterkeller sitzt er noch heute und forscht und liest in den schweren Schwarzkunstbüchern. Sie zu deuten ist keine leichte Arbeit für einen alten Landsknecht. Hundert Jahre brauchte er, um Latein zu lernen, hundert Jahre, um die Kabbala durchzubuchstabieren, und noch hundert Jahre muß er leben, um die Kunst des Sterbens zu lernen. Er weiß, daß ich ein gelehrtes Haus bin, deshalb besucht er uns öfters. Gestern stand er hinter mir und sah in meine griechische Grammatik. Bald kommt er und bittet mich, ihn Griechisch zu lehren.«

»Hurra«, riefen die Kinder, »nun wissen wir, wer der Mann ist.«

»Ruhig, ruhig, Kinder, zeigt nicht allzu deutlich, wie dumm ihr seid. Ich habe nicht von einem Mann erzählt, sondern vom Krieg, vom Krieg, der vor vielen hundert Jahren das Wasser des Lebens trank und seitdem nicht mehr die Kunst versteht, zu sterben.«

Selma Lagerlöf

Am Weihnachtsbaum die Lichter brennen

1. Am Weih-nachts-baum die Lich-ter bren- nen, wie glänzt er fest - lich, lieb und

mild, als spräch er: wollt in mir er - ken - nen ge-treu-er Hoff-nung stil-les Bild.

2. Zwei Engel sind hereingetreten,
kein Auge hat sie kommen sehn;
sie gehn zum Weihnachtstisch und beten
und wenden wieder sich und gehn.

3. »Gesegnet seid ihr alten Leute,
gesegnet sei du kleine Schar!
Wir bringen Gottes Segen heute
dem braunen wie dem weißen Haar.

4. Zu guten Menschen, die sich lieben,
schickt uns der Herr als Boten aus,
und seid ihr treu und fromm geblieben,
wir treten wieder in das Haus.«

5. Kein Ohr hat ihren Spruch vernommen;
unsichtbar jedes Menschen Blick
sind sie gegangen wie gekommen,
doch Gottes Segen blieb zurück.

Hermann Kletke

HEFEZOPF MIT MANDELFÜLLUNG

Für 15 Scheiben

Für den Hefeteig:
250 g Mehl
1 Msp. Salz
abgeriebene Schale von
½ unbehandelter Zitrone
50 g weiche Butter
½ Würfel (20 g) frische Backhefe
2–3 EL Zucker
1 kleines verquirltes Ei
ca. 50 ml lauwarme Milch

Für die Füllung:
200 g geschälte, gemahlene Mandeln
100 g Puderzucker
Saft und Schale von
½ unbehandelten Zitrone
2 TL Vanillezucker
100 g feingehacktes Zitronat
1 Eiweiß

Für die Glasur:
100 g Puderzucker
3 EL Wasser oder Zitronensaft

Außerdem:
50 g Mandelblättchen, geröstet
Mehl zum Ausrollen

1. Für den Hefeteig Mehl, Salz, Zitronenschale und Butter in einer Schüssel mischen. Hefe mit Zucker glattrühren und mit Ei und Milch zum Mehl geben und zu einem Teig verkneten. So lange kneten und schlagen, bis der Teig glatt und geschmeidig wird. Zugedeckt 2 Stunden bei Zimmertemperatur ums Doppelte gehen lassen.
2. Für die Füllung Mandeln, Puderzucker, Zitronensaft und -schale, Vanillezucker, Zitronat und leicht verquirltes Eiweiß zu einer streichfähigen Masse vermischen.
3. Hefeteig auf leicht bemehlter Arbeitsfläche rechteckig ca. 3 mm dick ausrollen. Füllung darauf verteilen, dabei ringsherum einen ca. 2 cm breiten Rand frei lassen. Teig von der Längsseite her aufrollen. Naht (Teigrand) nach oben drehen. Mit einem großen scharfen Küchenmesser dieser Naht entlang (genau in der Mitte) die Teigrolle halbieren, so daß sie aber oben noch um ca. 2 cm zusammenhängt. Die beiden aufgeschnittenen Teile (mit der Schnittkante nach oben) zusammen verschlingen.
4. Hefezopf auf ein mit Backpapier belegtes Backblech legen und zugedeckt kurz gehen lassen. Dann auf der Mittelschiene im vorgeheizten Backofen bei 200 Grad ca. 40 Minuten backen.
5. Für die Glasur Puderzucker und Wasser oder Zitronensaft zusammen verrühren. Den noch warmen Hefezopf damit bestreichen. Mit gerösteten Mandelblättchen bestreuen.

TOMATENKLÖSSCHEN IN RINDERBRÜHE

Für 4 Personen

2 Bund Suppengrün
1 Spickzwiebel
(1 Zwiebel gespickt mit
1 Gewürznelke, 1 Lorbeerblatt)
3 Petersilienstengel
2 frische Zweige Thymian
500 g Ochsenbeinscheibe
4 Markknochen
2 Fleischknochen
100 g Kirschtomaten
5 EL Semmelbrösel
2 EL Tomatenmark
20 g weiche Butter
2 Eigelb

1 EL Mehl
Salz
schwarzer Pfeffer aus der Mühle
je 1 Msp. gemahlener Oregano
und Muskat
etwas frischer Kerbel
(ersatzweise Petersilie)

1. Das Suppengrün putzen, waschen und grob zerkleinern. Zusammen mit der Spickzwiebel, den Petersilienstengeln, dem Thymian, Ochsenbein und sämtlichen Knochen in einen großen Topf geben. Mit 2 l Wasser übergießen und zum Kochen bringen. Abschäumen, die Markknochen herausnehmen, das Mark herauskratzen und beiseite stellen. Die Knochen wieder in die Brühe geben und alles bei milder Hitze 90 Minuten köcheln.

2. Die Tomaten überbrühen, kalt abschrecken, häuten und die Stielansätze vorsichtig herausschneiden.
3. Die Semmelbrösel mit dem Tomatenmark, dem noch warmen Rindermark, der Butter, den Eigelben und dem Mehl zu einem Teig verkneten. Ist der Teig zu weich, noch etwas Brösel zufügen. Mit Salz, Pfeffer, Oregano und Muskat würzen. Mindestens 30 Minuten kühl stellen. Aus dem Teig walnußgroße Klöße formen und nochmals kühl stellen.
4. Die Brühe abseihen, das Fleisch klein würfeln und beiseite stellen. Würzen und die Tomatenklößchen in der Brühe gar ziehen lassen. In den letzten 5 Minuten die Kirschtomaten mitdünsten. Mit dem Fleisch und Kerbel anrichten.

AUSTERNPILZ-PASTETCHEN KÖNIGIN-ART

400 g Austernpilze
1 Zwiebel
1 Bund Petersilie
2 EL Distelöl
schwarzer Pfeffer aus der Mühle
Salz
30 g Butter
1 EL frischgemahlener Weizen
¼ l Milch
einige Tropfen Zitronensaft
abgeriebene Muskatnuß
1 Eigelb
250 g Sahne
1 EL gehackter Estragon
4 Blätterteigpastetchen
(vom Bäcker oder tiefgekühlt)

1. Die Austernpilze putzen, kurz unter fließendem Wasser waschen oder mit Küchenpapier sorgfältig abwischen und mit einem scharfen Messer in kleine Stücke schneiden. Die Zwiebel schälen und fein hacken. Die Petersilie waschen, trockenschwenken und sehr fein hacken.

2. Das Öl in einer Pfanne erhitzen und die Zwiebel darin glasig werden lassen. Die Pilzstücke zugeben und 15 Minuten braten. Zum Schluß die gehackte Petersilie zugeben und noch 1 Minute mitbraten. Mit Salz und Pfeffer würzen.

3. Die Butter in einem Topf erhitzen, den gemahlenen Weizen darin unter Rühren leicht rösten und die Milch angießen. Mit Salz, Zitronen-saft und Muskat würzen, 7 Minuten kochen. Vom Herd nehmen.

4. Eigelb und Sahne verquirlen, unter die Sauce rühren. Die gebra-tenen Pilze hineingeben. Den Estragon waschen, die Blättchen bis auf 12 Stück fein schneiden. In die Sauce rühren.

5. Die Pastetchen im auf 200 Grad vorgeheizten Backofen knusprig aufbacken.

6. Die Pilzsauce in die Pastetchen füllen. Mit den Estragonblättchen verzieren.

Alle Jahre wieder

Alle Jahre wieder
kommt das Christuskind
auf die Erde nieder.
wo wir Menschen sind.

Kehrt mit seinem Segen
ein in jedes Haus,
geht auf allen Wegen
mit uns ein und aus.

Ist auch mir zur Seite
still und unerkannt,
daß es treu mich leite
an der lieben Hand

Volkslied

REHRÜCKEN MIT SCHMORÄPFELN IM RÖMERTOPF

Für 4 Personen

500 g Rehrücken
Salz
schwarzer Pfeffer
½ TL gemahlener Ingwer
4 zerdrückte Wacholderbeeren
4 dünne Scheiben Lachsschinken
4 mittelgroße Äpfel
4 cl Calvados
20 g Butter
4 TL Preiselbeerkompott

l. Den Römertopf 10 Minuten in Wasser stellen.
2. Den Rehrücken vorsichtig enthäuten und mit Salz, Pfeffer, Ingwer und Wacholderbeeren einreiben. In den gewässerten Römertopf legen und mit den Schinkenscheiben belegen. Den Topf verschließen und auf mittlerer Schiene in den kalten Backofen stellen. Bei 220 Grad etwa 45 Minuten garen lassen.
3. Inzwischen die Äpfel waschen, mit einem Apfelausstecher die Kerngehäuse entfernen.
4. Den Römertopf öffnen und die Äpfel ganz oder in dicke Scheiben geschnitten um den Rehrücken anordnen. Mit Calvados begießen und mit der Butter in kleinen Flöckchen belegen. Zugedeckt weitere 15 Minuten schmoren lassen.
5. Den Rehrücken herausnehmen und mit Alufolie umhüllt 5 Minuten ruhen lassen. Die Äpfel auf eine vorgewärmte Platte geben und mit den Preiselbeeren füllen oder Apfelscheiben mit Preiselbeeren anrichten. Das Fleisch vom Knochengerüst lösen und in schräge Scheiben schneiden. Auf der Platte mit den Äpfeln anrichten und mit dem entstandenen Bratensaft begießen. Dazu passen Spätzle.

ENTE MIT ÄPFELN UND BACKPFLAUMEN

Für 4 Personen

200 ml Rotwein
200 ml Wasser
250 g Backpflaumen
1 bratfertige, junge Ente (ca. 1,8 kg)
Salz, Pfeffer aus der Mühle
3 säuerliche Äpfel
Saft von ½ Zitrone
100 g durchwachsener Speck
4 EL Öl, ⅛ l heißes Wasser
1 EL Mehl
125 g Sahne

1. Rotwein und Wasser mischen. Backpflaumen darin etwa 1 Stunde quellen lassen.
2. Ente unter kaltem Wasser abspülen. Mit Küchenpapier trockentupfen. Innen und außen mit Salz und Pfeffer einreiben. Äpfel waschen und vierteln. Kerngehäuse herausschneiden und mit Zitronensaft beträufeln. Speck klein würfeln. Abgetropfte Backpflaumen mit den Apfelstücken und dem Speck mischen. Drei Viertel dieser Füllung in die Ente füllen und zunähen.
3. Ente auf die Fettpfanne legen. Öl in einem Pfännchen erhitzen und die Ente damit begießen. Im vorgeheizten Backofen auf der mittleren Schiene etwa 90 Minuten bei 200 Grad braten. Dabei mehrmals mit heißem Wasser übergießen und mit Bratfond überschöpfen.
4. 10 Minuten vor Ende der Garzeit die restliche Obst-Speck-Mischung in die Fettpfanne geben. Mitgaren lassen. Ente herausnehmen und die Fäden entfernen. Auf eine Platte legen und warm halten.
5. Mehl mit der Sahne verrühren. Unter Rühren in die kochende Sauce geben. 7 Minuten kochen lassen. Ente in der Obstmischung anrichten. Die Sauce extra reichen. Dazu passen Semmelknödel und Rotkohl.

KARTOFFELKNÖDEL

Für 4 Personen

1 kg Kartoffeln
Salz
3 Brötchen
¾ l Milch
125 g durchwachsener Speck
2 Zwiebeln
je ½ Bund Petersilie
und Schnittlauch
150 g Mehl
1 Ei
3 Scheiben Weißbrot
20 g Butter
1 Msp. geriebene Muskatnuß

1. Kartoffeln unter fließendem Wasser abbürsten. In einem Topf mit gesalzenem Wasser bedeckt 25 Minuten kochen. Wasser abgießen, Kartoffeln abschrecken und

abziehen. Abkühlen lassen und durch eine Presse in eine Schüssel drücken.
2. Brötchen in Milch einweichen, Speck würfeln. In einer Pfanne auslassen. Die geschälten, feingehackten Zwiebeln dazugeben und in 5 Minuten rösten. Mit den ausgedrückten Brötchen in den Teig kneten. Mit Muskat und Salz würzen.
3. Wasser in einem großen Topf aufkochen. Klöße von 5 cm Durchmesser formen. Probekloß ins Wasser geben und in 20 Minuten gar ziehen lassen. Wenn er richtig ist, Wasser erneut aufkochen. Die Hälfte der Klöße hineingeben und wie den Probekloß gar ziehen lassen.
4. Knödel mit dem Schaumlöffel herausnehmen. Abtropfen lassen und auf einer vorgewärmten Platte warm stellen, bis alle gar sind.

GANS MECKLENBURGER ART

Für 6–8 Personen

1 bratfertige Gans von 5 kg
Salz
Pfeffer
500 g säuerliche Äpfel
3 EL Butter
40 g Rosinen
40 g Korinthen
¼ l heißes Wasser
1 kg Rotkohl
3 EL Gänsefett
⅛ l heißes Wasser
6–8 EL Essig
Salz
Zucker
1 Zwiebel
1 Lorbeerblatt
3 Gewürznelken
200 g Maronen (Eßkastanien)
1 EL Zucker
40 g Margarine
¼ l heiße Fleischbrühe
(aus Extrakt)

1. Gans unter kaltem Wasser abspülen. Innen und außen mit Küchenpapier gut abtrocknen und mit Salz und Pfeffer einreiben.
2. Die Äpfel waschen, schälen und vierteln. Kerngehäuse mit einem kleinen Messer herausschneiden. In einer Pfanne mit heißer Butter andünsten. Ein paar Viertel zum Garnieren zurücklassen.
3. Rosinen und Korinthen mit kochendem Wasser überbrühen. Auf einem Sieb abtropfen lassen. Mit den Äpfeln mischen.
4. Gans mit der Mischung füllen und zunähen. In die Fettpfanne legen. Mit heißem Wasser übergießen. Im vorgeheizten Backofen bei 200 Grad 2–2 ½ Stunden braten. Gans zwischendurch mit Bratfond begießen. Nach der Hälfte der Garzeit umdrehen und das ausgetretene Bratfett abschöpfen.
5. In der Zwischenzeit Rotkohl zubereiten. Äußere Blätter entfernen, vierteln und streifig schneiden.

6. 4 Eßlöffel Bratfett von der Gans in einen Topf geben. Rotkohl darin anschmoren, Wasser und Essig angießen. Mit Salz und Zucker würzen. Zwiebel schälen. Mit Lorbeerblatt und Nelken spicken. In den Kohl geben. Kohl etwa 70 Minuten lang garen lassen. Nach 50 Minuten die Zwiebel entfernen. Apfelviertel auf dem Kohl heiß werden lassen.

7. Während Gans und Rotkohl gar werden, die Maronen zubereiten. Dazu Maronen kreuzweise einschneiden. 15 Minuten in Wasser kochen und dann schälen. In einem Topf Zucker und Margarine goldgelb rösten. Maronen hineingeben. Mit heißer Fleischbrühe begießen. In 15 Minuten gar werden lassen. Gänsebraten auf Rotkohl anrichten und mit Maronen und Apfelvierteln garniert servieren. Dazu passen Kartoffelknödel.

BLUMENKOHL-TERRINE

Für 15 Scheiben

gut 750 g grüner Blumenkohl
(oder Romanesco, Brokkoli)
Salzwasser
ca. 6 Stangen Lauch
1 EL Zitronensaft
Salz
Pfeffer aus der Mühle
Muskat
10–12 Blatt Gelatine
200 g Sahne
Butter für die Form

Für die Vinaigrette:
1 EL Dijonsenf
1 TL Tomatenmark
1 feingehackte Schalotte
3–4 EL Weißweinessig
3–4 EL Maiskeimöl
2–3 EL Gemüsekochwasser
2 TL Schnittlauchröllchen

1. Blumenkohl in Röschen teilen. In wenig Salzwasser weich dämpfen. Lauch putzen, die äußeren grünen Blätter entfernen. Die Stangen auf ca. 25 cm Länge zurückschneiden. Lauch in siedendem Salzwasser 10–15 Minuten knapp weich kochen. Herausnehmen, kalt abschrecken und gut abtropfen lassen. Etwas Gemüsekochwasser für die Vinaigrette beiseite stellen.
2. Blumenkohl mit dem Mixer pürieren. Mit Zitronensaft, Salz, Pfeffer und Muskat abschmecken. Gelatine in kaltem Wasser quellen lassen.
3. Sahne in einem Topf langsam aufkochen. Topf von der heißen Kochstelle ziehen. Gut ausgepreßte Gelatine darin auflösen. Dann unter das Blumenkohl-Püree rühren.
4. Eine beschichtete Kastenform von 25 cm Länge einfetten. Die Hälfte des Gemüse-Pürees hineingeben und glattstreichen. Lauchstangen längs halbieren und auf dem Püree verteilen, salzen und pfeffern. Mit einer dünnen Schicht Püree bedecken. Im Kühlschrank fest werden lassen. Dann das restliche Püree einfüllen. Form zugedeckt über Nacht in den Kühlschrank stellen.
5. Vor dem Servieren alle Zutaten für die Vinaigrette verrühren. Terrine stürzen. Mit einem scharfen Messer (vorher in heißes Wasser tauchen) in Scheiben schneiden. Mit der Sauce und frisch gemahlenem weißem Pfeffer servieren.

BOHNENCURRY MIT TOMATEN UND SAFRANREIS

Für 4 Personen

Für den Reis:
250 g Naturlangkornreis
½ l Wasser, Salz
1 TL Safranfäden
1 EL Butter

Für das Curry:
600 g grüne Bohnen
1 Knoblauchzehe
50 g Ingwerwurzel
1 kleine rote Pfefferschote
3 EL Erdnuß- oder Sesamöl
1 EL Currypulver
1 TL Kurkumapulver (Gelbwurz)
2 TL Zimtpulver
2 TL gemahlener Kreuzkümmel
2 Gewürznelken
⅛ l Gemüsebrühe (aus Extrakt)
300 g Tomaten
3 Frühlingszwiebeln

1. Reis mit Wasser und Salz aufkochen und zugedeckt bei schwächster Hitze in etwa 35 Minuten körnig weich garen.

2. Safranfäden zwischen den Fingern zerkrümeln und mit der Butter in ein kleines Pfännchen geben. Die Butter bei mittlerer Hitze zerlassen. Den Safran darin einige Minuten ziehen lassen, dann alles mit einer Gabel unter den gegarten Reis mischen. Ein Küchentuch zwischen Topf und Deckel legen, Reis in der Zwischenzeit zugedeckt bei 50 Grad im Backofen warm halten, bis das Curry gegart ist.

3. Während der Reis kocht, Bohnen waschen, putzen und in etwa 2 cm lange Stücke schneiden. Knoblauch abziehen und fein hacken, Ingwer schälen und reiben. Pfefferschote von allen Kernen befreien und fein zerkleinern.

4. Öl erhitzen. Knoblauch, Ingwer und Pfefferschote darin bei schwacher Hitze unter Rühren anbraten. Bohnen, Currypulver, Kurkuma, Zimt, Kreuzkümmel und Gewürznelken zugeben und unter Rühren bei mittlerer Hitze etwa 3 Minuten braten. Brühe zugießen und aufkochen. Bohnen zugedeckt bei schwacher Hitze 15 Minuten garen.

5. Inzwischen Tomaten mit kochendem Wasser übergießen, kurz darin ziehen lassen, kalt abschrecken, häuten und würfeln, dabei die Stielansätze entfernen. Frühlingszwiebeln putzen, waschen und mit allen saftigen grünen Blättern in sehr feine Ringe schneiden. Beide Zutaten unter die Bohnen mischen und aufkochen und zugedeckt 5 Minuten garen. Bohnencurry und Reis auf heißen Tellern anrichten. Je nach Geschmack Chutney dazu reichen.

SANDDORNEIS MIT EINGELEGTEM OBST

Für 4 Personen

Für das Obst:
⅛ l trockener Rotwein
2 EL Orangenlikör
1 unbehandelte Orange
1 EL Apfelkraut
½ TL Lebkuchengewürz
250 g gemischtes Trockenobst

Für das Eis:
1 Ei
2 EL ungesüßter Sanddornsirup
1 EL Ahornsirup
125 g Sahne

1. Für das Obst den Wein mit dem Orangenlikör, abgeriebener Orangenschale, dem Orangensaft, Apfelkraut und Lebkuchengewürz in einem Topf mit dem Trockenobst vermischen.

2. Alles einmal aufkochen und zugedeckt auf der abgeschalteten Kochstelle 5 Minuten ziehen lassen. In einer Schüssel zugedeckt in den Kühlschrank stellen und kühlen, bis das Eis fertig ist.

3. Für das Eis das Ei mit Sanddorn- und Ahornsirup in eine Schüssel geben und mit den Quirlen des Handrührgerätes zu einer dicken, schaumigen Creme aufschlagen. Die Sahne steifschlagen und nach und nach darunterziehen.

4. Die Creme zugedeckt im Gefrierfach des Kühlschranks oder im Tiefkühlgerät in etwa 4 Stunden fest werden lassen. Dabei etwa alle 45 Minuten kräftig durchrühren, damit sich keine großen Eiskristalle bilden. Etwa 30 Minuten vor dem Servieren herausnehmen, damit es geschmeidig wird.

5. Zum Servieren das eingelegte Obst auf Tellern verteilen. Das Eis mit einem Eßlöffel oder einem Portionierer abstechen und neben dem Obst anrichten.

Weihnachten

Markt und Straßen stehn verlassen,
still erleuchtet jedes Haus,
sinnend geh ich durch die Gassen,
alles sieht so festlich aus.

An den Fenstern haben Frauen
buntes Spielzeug fromm geschmückt,
tausend Kindlein stehn und schauen,
sind so wunderstill beglückt.

Und ich wandre aus den Mauern
bis hinaus ins freie Feld,
hehres Glänzen, heilges Schauern!
Wie so weit und still die Welt!

Sterne hoch die Kreise schlingen,
aus des Schnees Einsamkeit
steigt's wie wunderbares Singen
o du gnadenreiche Zeit!

Joseph Freiherr von Eichendorff

KASTANIEN-DESSERT

Für 4 Personen

500 g Eßkastanien (Maronen)
⅜ l Milch, 125 g Zucker
½ Päckchen Vanillezucker
2 Glas (je 2 cl) Rum
50 g gehackte Mandeln
250 g Sahne

1. Kastanien mit einem kleinen, scharfen Messer kreuzweise einschneiden. Auf einem Backblech in den vorgeheizten Ofen auf die mittlere Schiene schieben und bei 200 Grad 10 Minuten rösten, bis sich die Schalen nach außen biegen.
2. Kastanien leicht abkühlen lassen und schälen. Mit Milch, Zucker und Vanillezucker in einem Topf zum Kochen bringen und 30 Minuten bei schwacher Hitze garen lassen.

3. Kastanien pürieren. Mit Rum und Mandeln mischen und im Kühlschrank 30 Minuten erkalten lassen. Gekühlte Sahne in einer Schüssel steifschlagen. Die Hälfte unter das Kastanienpüree rühren. Rest in den Spritzbeutel füllen.
4. Püree in vier Dessertschälchen oder Gläser füllen. Mit Sahnetuffs garniert sofort servieren.

O du fröhliche, o du selige

1. O du fröh-li-che, o du se-li-ge, gna-den-brin-gen-de Weih-nachts-zeit! Welt ging ver-lo-ren, Christ ist ge-bo-ren: Freu-e, freu-e dich, o Chri-sten-heit!

2. O du fröhliche,
o du selige,
gnadenbringende Weihnachtszeit!
Christ ist erschienen,
uns zu versühnen:
Freue, freue dich, o Christenheit!

3. O du fröhliche,
o du selige,
gnadenbringende Weihnachtszeit!
Himmlische Heere
jauchzen dir Ehre:
Freue, freue dich, o Christenheit!

Johannes Daniel Falk

Die Heilige Nacht

Gesegnet sei die heilige Nacht,
Die uns das Licht der Welt gebracht! –

Wohl unterm lieben Himmelszelt
Die Hirten lagen auf dem Feld.

Ein Engel Gottes, licht und klar,
Mit seinem Gruß tritt auf sie dar.

Vor Angst sie decken ihr Angesicht,
Da spricht der Engel: »Fürcht't euch nicht!

Ich verkünd euch große Freud:
Der Heiland ist euch geboren heut.«

Da gehn die Hirten hin in Eil,
Zu schaun mit Augen das ewig Heil;

Zu singen dem süßen Gast Willkomm,
Zu bringen ihm ein Lämmlein fromm. –

Bald kommen auch gezogen fern
Die heil'gen drei König mit ihrem Stern.

Sie knien vor dem Kindlein hold,
Schenken ihm Myrrhen, Weihrauch, Gold.

Vom Himmel hoch der Engel Heer
Frohlocket: »Gott in der Höh sei Ehr!«

Eduard Mörike

WEIHNACHTEN IN ANDEREN LÄNDERN

Aufgewachsen und verwurzelt in hiesigem Brauchtum vergißt man leicht, daß Weihnachten von Millionen Menschen in allen möglichen Ländern auf die unterschiedlichste Weise begangen wird. Der Geburt Christi vor rund 2000 Jahren gedenken Menschen in so unterschiedlichen Ländern wie Ghana oder Finnland, Australien oder Mexiko. Etliche christliche Symbole haben sich im Laufe der Jahrhunderte mehr oder weniger unverändert erhalten, verwoben allerdings mit einer Mischung von Mythen und Aberglauben des jeweiligen Kulturkreises. Überall auf der Welt spielt bei Feierlichkeiten das Essen eine große Rolle. Ein Blick auf traditionelle Speisen anderer Länder hilft uns, die umfassende Bedeutung des Weihnachtsfestes zu begreifen; das Ausprobieren solcher Gerichte bereichert unser gewohntes Repertoire und gibt uns das Gefühl, mit unseren Nachbarn gemeinsam zu feiern.

121

VERSCHIEDENE WEIHNACHTSBRÄUCHE

Eine wichtige Rolle bei den unterschiedlichsten Arten, Weihnachten zu feiern, kommt dem Tannenbaum zu. Er symbolisiert ewiges Leben, aber auch Frieden auf der Welt und in der Familie. Um den Weihnachtsbaum herum ranken sich in jedem Land verschiedene Bräuche.

FRANKREICH

In Frankreich ist Weihnachten in erster Linie ein religiöses Fest. Die Erwachsenen beschenken sich hier, wie in einigen anderen Ländern, erst an Neujahr. Geschenke gibt es am 24. Dezember nur für die Kinder, für die es ein sehr aufregender Tag ist. Gleich in der Frühe wird der Baum geschmückt und als Höhepunkt dürfen sie lange aufbleiben und nach dem Essen das Christuskind in die Krippe legen. In der Mette zeigen sich noch heidnische Einflüsse, wenn etwa die Schäfer ein Lamm zur Krippe bringen und um Fruchtbarkeit für ihre Herde bitten

Nach der Mette kehrt die Familie nach Hause zurück und erfreut sich am weihnachtlichen Mitternachtsschmaus, dem traditionellen *réveillon*. Je nach der Region gibt es hier typische Speisen. In Paris und seiner Nachbarschaft sind Austern, Schnecken oder Gänseleberpastete beliebte Delikatessen. Als Hauptgericht folgt Gänsebraten oder Truthahn mit Kastanienfüllung. Selbstverständlich gibt es außer einer Käseplatte auch verschiedene Desserts. Als Besonderheit werden in Teilen der Provence Jesus und die zwölf Apostel durch 13 verschiedene Nachspeisen symbolisiert, die während der ganzen Festtage verzehrt werden.

SEASON'S GREETINGS

ITALIEN

In Italien ist natürlich das Erbe der katholischen Kirche am deutlichsten. Dem Christuskind, dem Bambino, das in manchen Kirchen in Lebensgröße zu sehen ist, werden magische Heilkräfte zugesprochen. Die Tradition des Weihnachtsbaumes ist erstaunlicherweise in Italien gar nicht alt. Er wurde erst durch die amerikanischen Soldaten im Zweiten Weltkrieg populär. Ursprünglich wurde an Heiligabend den ganzen Tag gefastet. Heute ist es immer noch üblich, Fisch an diesem Abend zu essen. Nach der Mitternachtsmesse tauschen die Erwachsenen Geschenke aus. Für die Kinder bringt in Italien nicht nur der

Weihnachtsmann die Geschenke. In einigen Teilen im Norden beschert St. Lucia, die Leuchtende, an die braven Mädchen bereits am 13. Dezember. Häufig bringen aber, wie auch in Spanien und Portugal, erst die Heiligen Drei Könige am 6. Januar die Gaben. Der Weihnachtstag ist ganz der Familie gewidmet. Nach einem leichten Frühstück spielen die Kinder oder begleiten den Vater in die Kirche, während die Hausfrau sich völlig der Vorbereitung eines opulenten Weihnachtsessens widmet. Ein typisches Menü besteht etwa aus Entenleberpaté, einem Pastagericht und anschließend Truthahn. Als Dessert gibt es Panettone, den bekannten italienischen Weihnachtskuchen, Cassatta oder verschiedene Biskuits.

ENGLAND

Das traditionelle Weihnachtsfest existiert hier erst seit Königin Victoria. Augustinus brachte die christliche Kirche im Jahre 596 zu den Angelsachsen. Darauf verband sich deren Yule (wie auch in den skandinavischen Ländern) neben dem Lob für eine gute Ernte mit dem Feiern der Geburt Christi. In den folgenden Jahrhunderten wurde Weihnachten häufig als Fasttag begangen.

Heute haben wir einige der englischen Bräuche übernommen, etwa Weihnachtskarten schreiben oder Mistelzweige an die Türe hängen. Der Weihnachtsmann kommt immer in der Nacht auf seinem Schlitten, allerdings nur zu den Kindern, die am Fenster nach ihm Ausschau halten. Für seine Geschenke wird ein Strumpf aufgehängt. Kirchgang ist um Mitternacht oder am Weihnachtstag morgens. Das Weihnachtsessen gibt es entweder am Mittag oder am Abend. Nach Melone oder Räucherlachs als Auftakt folgt in der Regel Truthahn mit Cranberrysauce. Karamelisierte Pastinaken als Beilage sind eine be-

sondere Delikatesse. Der mit Cognac getränkte Christmas Pudding ist ein krönender, allerdings kalorienreicher Abschluß.

USA

In manchen Gegenden der USA – vor allem in den Neuenglandstaaten – erinnern ganzjährig geöffnete Christmas Shops daran, daß Weihnachten jedes Jahr wiederkommt und man sich am besten frühzeitig mit Schmuck und Zubehör eindeckt. Und wirklich — mit so viel Glanz wie in den Vereinigten Staaten wird nirgendwo sonst die Weihnachtszeit begangen. Das Zuhause schmücken Kränze, Lichterketten, aufgestellte Weihnachtskarten und vieles mehr; aber auch die Geschäfte und Straßen sind üppiger dekoriert als in anderen Ländern.

In Amerika, dem Schmelztiegel der unterschiedlichsten Nationalitäten, haben sich Bräuche der verschiedensten Länder vermischt. Das zeigt sich besonders deutlich in der

kulinarischen Tradition, die je nach Gegend die ursprüngliche Herkunft der Bevölkerung widerspiegelt. Das Festmahl wird in der Regel am Spätnachmittag des 1. Feiertags eingenommen; vielerorts steht Truthahn im Mittelpunkt, wobei Füllung und Beilagen regional differieren. Typische Vorspeisen sind etwa im Süden eine cremige Kürbis- oder Erdnußsuppe, in Neuengland hingegen bevorzugt man Hummer mit Mayonnaise. Ein Pie mit Trockenfrüchten und Nüssen ist ein beliebtes Dessert. In Chicago, der Stadt, die nach Warschau die größte polnische Bevölkerung aufweist, gibt es *kielbasa* zu kaufen; mit diesen Knoblauchwürsten wird der Bigos, das Weihnachtsmahl Polens, auf jeden Fall richtig authentisch.

In Erwartung des Santa Claus, der auf unseren Nikolaus zurückgeht, hängen amerikanische Kinder an Heiligabend ihre Socken vor die Tür. Santa Claus reist auf seinem von einem Rentier gezogenen Schlitten durch das Land und bringt die Geschenke. Damit er sich für die Weiterfahrt stärken kann, stellen ihm viele Kinder ein Glas Milch und einige Cookies in der Küche hin. Zusätzlich zu dem gefüllten Socken warten am Weihnachtstag natürlich noch viele bunte Päckchen unter einem üppig behängten Baum.

Die Kirchen werden mit Weihnachtssternen, Kerzen und häufig mit einer Krippe geschmückt. In vielen Gegenden versammeln sich die Gemeindemitglieder an den Sonntagen vor Weihnachten zum Singen, Musizieren oder Lesen von Weihnachtsgeschichten. Auch der Brauch der Christmette ist mancherorts lebendig. Und wenn dann Anfang Januar die Lichter und der ganze Schmuck wieder weggepackt werden, bereiten sich einige Geschäfte bereits auf das nächste Weihnachten vor.

PLUMPUDDING

Für 8 Personen

150 g altbackenes Weißbrot
150 g Rindernierenfett
100 g Rosinen
100 g Korinthen
50 g Zitronat
50 g kandierte Kirschen
1 saurer Apfel
75 g gehackte Mandeln
abgeriebene Schale von 2 Orangen
abgeriebene Schale von 1 Zitrone
75 g Mehl
100 g Zucker
je 1 Msp. gemahlener Zimt,
Piment, Ingwerpulver,
Nelkenpulver und
geriebene Muskatnuß
½ TL Salz
3 Eier
Saft von 1 Orange
Saft von ½ Zitrone
⅛ l Cognac
⅛ l Sherry

Außerdem:
Butter zum Bestreichen
Mehl zum Bestäuben
12 Stück Kandiszucker
4 cl Cognac

1. Weißbrot fein reiben. Rindernierenfett von den Häuten befreien.
Fett fein hacken oder durch den
Fleischwolf (feine Scheibe) drehen.
Rosinen und Korinthen in einer
Schüssel mit kochendem Wasser
übergießen. 5 Minuten quellen
lassen. Auf einem Sieb abtropfen
lassen und mit Küchenpapier
trockenreiben. Zitronat und kandierte Kirschen grob hacken. Apfel
schälen und reiben. Alles in eine
große Schüssel geben.
2. Mit Mandeln, Orangen- und Zitronenschale, Mehl, Zucker und
den Gewürzen gut mischen. Eier
darüberschlagen. Orangen- und Zitronensaft darübergießen. Mit dem
Knethaken des Handrührgerätes
oder mit den Händen gut durchkneten. Cognac und Sherry zum
Schluß unterkneten. Teig in eine

Steingutschüssel geben. Zugedeckt an einem kühlen Ort 48 Stunden ruhenlassen.

3. Teig in eine Puddingform füllen. Ein mit Butter bestrichenes Stück Pergamentpapier darüberlegen. Eine große Serviette oder ein Küchentuch auf einer Seite in der Mitte mit Butter einstreichen und mit Mehl bestäuben. Mit der bestrichenen Seite nach unten über den Pudding legen. Serviette am Formrand sehr gut festbinden. Je zwei gegenüberliegende Zipfel in der Mitte verknoten. Form in einen großen Topf stellen. Durch den Knoten einen Kochlöffel schieben, so daß die Puddingform im Topf hängt. Soviel kochendes Wasser in den Topf gießen, daß es bis zu Dreiviertel der Formhöhe reicht. Pudding 6 Stunden kochen. Dabei immer wieder kochendes Wasser nachgießen, so daß die Höhe immer gleich bleibt.

4. Form aus dem Wasserbad nehmen. Auf Zimmertemperatur abkühlen lassen. Tuch und Papier entfernen. Pudding aus der Form nehmen und gut in Alufolie verpacken. Im Kühlschrank oder im kühlen Keller mindestens 3 Wochen ruhenlassen.

5. Vor dem Servieren Pudding wieder in die Form geben. Gut verschlossen mit Deckel noch einmal 2 Stunden im Wasserbad kochen. Aus der Form nehmen. Oberfläche mit Kandiszucker bestecken. Cognac oder Weinbrand leicht erwärmen. Über den Zucker und den Pudding gießen. Anzünden, und den Pudding brennend servieren. Dazu passen Vanille- oder Weinschaumsauce.

SCHWEDISCHES HUMMERFRIKASSEE

Für 6 Personen

200 g frische Champignons
1 TL Zitronensaft
2 Dosen Hummerfleisch
(je 142 g)
¼ l heiße Fleischbrühe
(aus Extrakt)
40 g Butter, 30 g Mehl
80 g Sahne
2 EL trockener Sherry
Salz, weißer Pfeffer
Margarine zum Einfetten
2 EL Semmelbrösel (20 g)
3 EL geriebener Emmentaler Käse
20 g Butter

1. Champignons putzen, waschen, abtropfen lassen und in dünne Scheiben schneiden. Mit Zitronensaft beträufeln.
2. Hummer gründlich abtropfen lassen. Hummerwasser auffangen und 6 Eßlöffel mit der Fleischbrühe mischen.
3. Butter in einem Topf erhitzen. Champignons darin 4 Minuten braten. Mit Mehl bestäuben. Unter Rühren 3 Minuten anschwitzen. Hummer-Fleischbrühe angießen. 5 Minuten sanft kochen lassen. Topf vom Herd nehmen. Sahne in einem Becher mit Sherry verquirlen. In die Sauce rühren. Mit Salz und Pfeffer abschmecken.
4. Hummerfleisch zerpflücken, Chitinstreifen entfernen. Hummer in die Sauce geben. Erhitzen, aber nicht mehr kochen lassen.
5. Sechs kleine Ragoutformen oder Muschelschalen mit Margarine einfetten. Frikassee hineingeben. Semmelbrösel mit Käse mischen und über das Frikassee streuen. Butter in Flöckchen darauf verteilen. Formen auf den Bratrost stellen und auf die mittlere Schiene in den vorgeheizten Ofen schieben. Bei 220 Grad 15 Minuten backen. Formen herausnehmen und das Frikassee darin servieren.

FRANZÖSISCHES TOMATENGELEE

Für 4 Personen

12 Blatt weiße Gelatine
1 kg Eiertomaten
(oder ½ Dose geschälte Tomaten)
3 EL Tomatenmark
1 l Geflügel- oder Kalbsfond
(aus dem Glas)
4 Wachteleier
2 Eiweiß
½ Tasse Eiswürfel
4 frische Zweige Estragon
5 cl trockener Sherry (Fino)
1 EL Estragonessig
Salz
weißer Pfeffer aus der Mühle
1 Prise Zucker
100 g frisches Krabben-
oder Krebsfleisch
100 g Crème double
1 TL Lachscreme (Tube)
¼ Zitrone
1–2 Tropfen Tabasco

1. Die Gelatine in kaltem Wasser einweichen.
2. Die Tomaten überbrühen, kalt abschrecken, häuten und in Stücke schneiden. Mit dem Pürierstab pürieren. In einen Topf füllen und das Tomatenmark unterrühren. Die Brühe angießen und bei milder Hitze 25 Minuten köcheln. Vom Herd nehmen und kalt stellen.
3. Die Wachteleier etwa 6 Minuten garen. Abschrecken, abpellen, halbieren und beiseite stellen.
4. Die Eiweiße mit Eiswürfeln und 2 Estragonzweigen vermischen, unter die erkaltete Tomatenbrühe geben und langsam erhitzen. Durch ein mit einem Tuch ausgelegtes Sieb passieren. Mit Sherry, Essig, Salz, Pfeffer und Zucker abschmecken. Die gutausgedrückte Gelatine in der heißen Brühe aufgießen.
5. Vier kleine Puddingförmchen mit etwas Aspikmasse ausgießen und kühl stellen. Ist der »Spiegel« erstarrt, die Wachteleier, das Krabbenfleisch und die restlichen Estragonblättchen darauf verteilen und mit dem restlichen Tomatengelee übergießen. Im Kühlschrank erstarren lassen.
6. Die Crème double mit der Lachscreme verschlagen. Mit einem Spritzer Zitronensaft und Tabasco abschmecken. Die Creme etwas durchkühlen lassen.
7. Die Förmchen mit der Unterseite kurz ins heiße Wasser stellen, stürzen und mit der Lachssahne servieren.

SCHWEIZER MANGOLD-KRAPFEN

Für 12 Stück

Für den Teig:
125 g Sahnequark
125 g Mehl
½ TL Salz
100 g kalte Butter
Mehl zum Ausrollen

Für die Füllung:
100 g Parmaschinken
4 Schalotten
2 Knoblauchzehen
2 EL gehackte glatte Petersilie
500 g Mangold
Salz
Pfeffer aus der Mühle
frischgeriebene Muskatnuß
2 Eier, 2 EL Sahne
50 g geriebener Parmesan

1. Für den Teig Sahnequark in einem Mulltuch gut auspressen. Dann mit Mehl, Salz und kleingewürfelter Butter mischen. Mit einem großen Küchenmesser durchhacken, dann mit den Händen rasch zu einem geschmeidigen Teig zusammenfügen. Zugedeckt etwa 1 Stunde kalt stellen.

2. Den Teig dritteln und portionsweise in dünne, gleichgroße Rechtecke ausrollen. Die Teigplatten aufeinanderlegen und von allen vier Seiten einschlagen. Zugedeckt weitere 2 Stunden kalt stellen.

3. Für die Füllung fein geschnittenen Parmaschinken in einer beschichteten Pfanne glasig braten. Feingehackte Schalotten, durchgepreßten Knoblauch und gehackte Petersilie zugeben und kurz mitdünsten. Verlesenen, geputzten und gut gewaschenen Mangold zufügen und unter Wenden zusammenfallen lassen. Mit Salz, Pfeffer und Muskat würzen und auskühlen lassen.

4. Die Mangoldmasse in einem sauberen Tuch auspressen und grob hacken. Mit 1 verquirlten Ei, der Sahne und dem geriebenen Käse vermischen.

5. Den Teig ca. 3 mm dick ausrollen und Kreise von ca. 10 cm Durchmesser ausstechen. Je 1 Eßlöffel Füllung in die Mitte geben. Die Teigkreise zu Halbmonden formen und die Ränder gut festdrücken. Die Krapfen mit dem zweiten verquirlten Ei bepinseln und auf ein kalt abgespültes Blech legen.

6. Die Krapfen im unteren Teil des vorgeheizten Backofens bei 220 Grad ca. 20 Minuten backen. Noch warm servieren.

Die drei stillen Messen

»Getrüffelte Truthennen, Garrigou?«

»Ja, Hochwürden, zwei prächtige Truthennen, mit Trüffeln vollgepfropft. Ich kann etwas davon erzählen, habe ich doch mitgeholfen, sie zu füllen. Man hätte denken sollen, ihre Haut müßte beim Braten platzen, so war sie gespannt …«

»Jesus, Maria! Und ich esse Trüffeln so gern … Schnell, gib mir mein Chorhemd, Garrigou … Und außer den Truthennen, was hast du noch in der Küche bemerkt?«

»Oh, alles nur mögliche Gute … Seit Mittag haben wir nichts getan, als Fasanen, Wiedehopfe, Feldhühner und Auerhähne zu rupfen. Die Federn flogen nur so herum … Dann hat man aus dem Teich Aale gebracht, Goldkarpfen, Forellen und …«

»Forellen, Garrigou, wie groß?«

»So groß, Hochwürden, ganz prächtige Stücke!«

»Mein Gott! Mir ist, als ob ich sie sähe! … Hast du den Wein in die Meßkännchen gefüllt?«

»Ja, Hochwürden, ich habe den Wein in die Meßkännchen gefüllt … Aber weiß Gott, der ist gar nichts gegen den Wein, den Sie nach der Mitternachtsmesse trinken werden. Wenn Sie das alles im Speisesaal des Schlosses sähen, alle diese Flaschen mit edlen Weinen, die in allen Farben schillern … Und das Silbergeschirr, die Tafelaufsätze, die Blumen, die Armleuchter! Solch einen Weihnachtsschmaus hat man noch niemals gesehen. Der Herr Graf hat alle Herrschaften aus der Nachbarschaft eingeladen. Es werden wenigstens vierzig Personen an der Tafel sein, ohne den Amtmann und den Gerichtsschreiber zu rechnen. Ach, Sie haben es gut, daß Sie dabei sein können, Hochwürden … Unsereiner hat die schönen Truthennen nur riechen dürfen, und doch verfolgt mich der Duft der Trüffeln, wohin ich mich auch wenden mag … Ach!«

»Nun, nun, mein Kind. Hüten wir uns vor der Sünde der Leckerei, zumal am heiligen Weihnachtsabend … Geh schnell und zünde die Kerzen an und gib das erste Glockenzeichen zur Messe; denn sieh, es ist bald Mitternacht, und wir dürfen uns nicht verspäten …« Dieses Zwiegespräch wurde an einem schönen Weihnachtsabend im Jahre des Heils eintausendsechshundert und so und so viel gehalten zwischen dem ehrwürdigen Herrn Balaguère, vormaligem Prior der Barnabiten, jetzt wohlbestalltem Schloßkaplan der Grafen von Trinquelage, und seinem kleinen Mesner Garrigou oder vielmehr derjenigen Person, welche er für seinen kleinen Mesner Garrigou hielt. Denn wohlgemerkt, für diesen Abend hatte der Teufel die runde Gestalt und die unbestimmten Züge des jungen Sakristans angenommen, um

Seine Hochwürden bequemer in Versuchung führen und zur abscheulichen Sünde der Leckerei verleiten zu können. Während also der angebliche Garrigou (hm, hm) die Glocken der gräflichen Kapelle ertönen ließ, legte Seine Hochwürden in der kleinen Sakristei des Schlosses sein Meßgewand an und wiederholte während des Ankleidens für sich, mit seinen Gedanken ganz in jene gastronomischen Beschreibungen vertieft: »Gebratene Truthennen … Goldkarpfen … Forellen … und von solcher Größe!«

Draußen blies der Nachtwind und trug die Glockentöne in die Ferne, während hier und da auf den Seiten des Mont Ventoux, auf dessen Spitze sich die alten Türme von Trinquelage erhoben, Lichter durch das nächtliche Dunkel aufblitzten. Es waren die Familien von den Meierhöfen, die sich anschickten, die Mitternachtsmesse auf dem Schloß zu hören. Unter Gesang erklommen sie den Abhang, in Gruppen von fünf oder sechs, voran der Vater, die Laterne in der Hand, sodann die Frauen, eingehüllt in ihre großen braunen Mäntel, in deren Falten die Kinder Schutz und Halt suchten. Trotz der späten Stunde und der Kälte marschierten die braven Leute lustig vorwärts in der zuversichtlichen Hoffnung, daß sie nach beendigter Messe wie jedes Jahr unten in den Küchenräumen den Tisch gedeckt finden würden. Von Zeit zu Zeit ließ eine herrschaftliche, von Fackelträgern begleitete Karosse auf dem steilen Weg ihre Spiegelscheiben in den Strahlen des Mondes erglänzen, oder ein Maultier setzte vorwärtstrottend die an seinem Hals hängenden Glöckchen in Bewegung, und beim Schein der von Nebel eingehüllten Stocklaternen erkannten die Meier ihren Amtmann und grüßten ihn, wie er vorbeiritt: »Guten Abend, guten Abend, Herr Arnoton.«

»Guten Abend, guten Abend, meine Kinder.«

Die Nacht war hell, die Sterne erzitterten in der Kälte, der Nordwind wehte scharf, und feine Eisnadeln, die von den Kleidern herabglitten, ohne sie zu befeuchten, hielten die Überlieferung der »schneeweißen« Weihnacht treulich aufrecht. Ganz oben auf der Höhe erschien als Ziel das Schloß mit seiner gewaltigen Masse von Türmen und Giebeln, stieg der Glockenturm seiner Kapelle zum schwarzblauen Himmel empor, und viele kleine Lichter, die sich hin und wider bewegten, blitzten in allen Fenstern auf und glichen auf dem dunklen Hintergrund des Gebäudes den Funken, die in der Asche verbrannten Papiers aufleuchten. Nachdem man die Zugbrücke und das Falltor überschritten hatte, mußte man, um nach der Kapelle zu gelangen, den ersten Hof durchqueren, der mit Karossen, Bedienten und Tragsesseln angefüllt und durch die Flammen der Fackeln und durch die Küchenfeuer taghell erleuchtet war. Man hörte das Geräusch der Bratenwender, das Klappern der Kasserollen, das Klirren der Kristall- und Silbergefäße, die bei der Vorbereitung zu einem Mahl gebraucht werden; und der Duft gebratenen Fleisches und würziger Saucen, der über dem Ganzen schwebte, rief den Meiern wie dem Kaplan, wie dem Amtmann wie aller Welt zu: »Welch vortreffliches Weihnachtsmahl erwartet uns nach der Messe!«

Kling-ling-ling! ... Kling-ling-ling!

Die Mitternachtsmesse beginnt. In der Schloßkapelle, einer Kathedrale im kleinen mit Kreuzgewölben, eichenem Getäfel die ganzen Wände hinauf, sind alle Wandteppiche aufgespannt, alle Kerzen angezündet. Und welche Versammlung! Welche Toiletten! Da sitzen in den schöngeschnitzten Stühlen, welche den Chor umgeben, zunächst der Graf von Trinquelage in lachsfarbenem Taffetgewand und neben ihm alle geladenen edlen Herren. Gegenüber, auf mit Sammet besetzten Betstühlen, hat neben der alten Gräfin-Witwe in feuerrotem Brokatkleid, die Junge Gräfin von Trinquelage sich niedergelassen, im Haar eine hohe, nach der letzten Mode des Hofes von Frankreich aufgebaute Spitzengarnitur. Weiter unten sieht man in Schwarz gekleidet, mit mächtigen Perücken und rasierten Gesichtern den Amtmann Arnoton und den Gerichtsschreiber Ambroy – zwei ernste Gestalten zwischen den glänzenden Seidengewändern und den gold- und silberdurchwirkten Damastkleidern. Sodann die fetten Haushofmeister, die Pagen, die Jäger, die Aufseher, Frau Barbe, alle Schlüssel an einer Kette von feinem Silber an ihrer Seite herabhängend. Im Hintergrund, auf Bänken, die niedere Dienerschaft, die Mägde, die Meier mit ihren Familien, und endlich ganz hinten, dicht bei der Tür, die sie möglichst geräuschlos öffnen und schließen, die Herren Küchenjungen, die zwischen zwei Saucen ein wenig Messeluft atmen und ein wenig Duft des Weihnachtsschmauses in die Kirche mitbringen, in welcher die Menge der angezündeten Kerzen eine festliche Wärme ausstrahlt.

Ist es der Anblick der weißen Küchenjungenbaretts, der Seine Hochwürden so in Zerstreuung versetzt? Oder ist es vielleicht das Glöckchen Garrigous, dieses rasende kleine Glöckchen, welches sich am Fuß des Altars mit wahrhaft höllischer Überstürzung bewegt und bei jeder Schwingung zu sagen scheint: »Eilen wir uns, eilen wir uns ... Je früher wir hier fertig werden, desto früher kommen wir zur Tafel.« Tatsache ist, daß, sooft dieses Teufelsglöckchen erklingt, der Kaplan seine Messe vergißt und nur noch an den Weihnachtsschmaus denkt. Im Geist sieht er das Küchenpersonal in voller Tätigkeit, die Öfen, in denen ein wahres Schmiedefeuer glüht, den Dunst, der unter den Deckeln der Kasserollen hervordringt, und in diesem Dunst zwei prächtige Truthennen, zum Zerplatzen vollgestopft und marmoriert mit Trüffeln …

Er sieht auch wohl ganze Reihen kleiner Pagen vorüber-ziehen, beladen mit Schüsseln, die einen verführerischen Duft um sich verbreiten, und tritt mit ihnen in den großen Saal, der schon für das Fest bereit steht. O Wonne! Da steht im vollen Lichterglanz die mächtige Tafel, ganz beladen: Pfauen, in ihr eigenes Gefieder gekleidet; Fasanen, die ihre braunroten Flügel ausbreiten; rubinfarbene Flaschen; Fruchtpyramiden, die aus grünen Zweigen hervorleuchten; ja die wunderbaren Fische, von denen Garrigou sprach (ja, ja, vortrefflich, Garrigou!), aus-gestreckt auf ein Lager von Fenchel, die Schuppen-haut so perlmutter-glänzend, als ob sie eben aus dem Was-ser kamen, mit einem Sträußchen wohlrie-chender Kräuter in ihren monströsen Mäulern. So lebhaft ist die Vision dieser Wunder, daß es Herrn Balaguère vor-kommt, als seien diese prächtigen Gerichte vor ihm auf den Stickereien der Altardecke ange-richtet, und daß er sich zwei- oder dreimal dabei überrascht, daß er die Worte: »Der Herr sei mit euch!« in »Der Herr segne die Mahlzeit!« verkehrt. Abgesehen von diesen verzeihlichen Miß-griffen waltete der würdige Mann seines Amtes mit großer Ge-wissenhaftigkeit, ohne eine Zeile zu überspringen, ohne eine Kniebeugung auszulassen, und alles ging vortrefflich bis an das Ende der ersten Messe; denn wie bekannt, muß am Weihnachts-tag derselbe Geistliche drei Messen hintereinander zelebrieren.

»Das war eine!« sagt der Kaplan zu sich mit einem Seufzer der Erleichterung; dann, ohne eine Minute zu verlieren, gibt er sei-nem Mesner oder dem, den er dafür hält, das Zeichen und …

Kling-ling-ling! … Kling-ling-ling!

Die zweite Messe nimmt ihren Anfang, und mit ihr die Sünde Herrn Balaguères. »Schnell, schnell, beeilen wir uns«, ruft ihm mit seiner dünnen schrillen Stimme das Glöckchen Garrigous zu, und diesmal stürzt sich der unselige Priester, sich ganz dem Dämon der Freßsucht hingebend, auf das Meßbuch und verschlingt die Seiten mit der Gier seines überreizten Geistes. Wie ein Wahnsinniger kniet er nieder und erhebt sich wieder, macht er die Zeichen des Kreuzes, die Kniebeugungen und kürzt alle diese Bewegungen ab, um möglichst bald zu Ende zu kommen. Kaum daß er bei der Verlesung des Evangeliums die Arme ausstreckt, daß er beim Confiteor an seine Brust schlägt. Zwischen ihm und seinem Mesner entspinnt sich ein förmlicher Wettstreit, wer am schnellsten fertig werde. Fragen und Antworten überstürzen sich. Die Worte, nur zur Hälfte ausgesprochen, ohne den Mund zu öffnen, was zu viel Zeit kosten würde, gehen in unverständliches Gemurmel über.

»Oremus ps ... ps ... ps ...«

»Mea culpa ... pa ... pa ...«

Eiligen Weinlesern gleich, die im Kübel die Trauben austreten, waten beide in dem Latein der Messe herum, nach allen Seiten abgerissene Worte hervorsprudelnd.

»Dom ... scum!« sagt Balaguère.

»... stituo!« antwortet Garrigou, und immer ist das verdammte Glöckchen da, dessen schrille Stimme in ihren Ohren klingt wie die Schellen, die man an dem Geschirr der Postpferde befestigt, um sie zu rascherem Lauf anzufeuern. Daß bei solchem Gang eine stille Messe rasch erledigt ist, läßt sich leicht vorstellen.

»Das waren zwei!« sagt der Kaplan ganz außer Atem, dann stürzt er, ohne daß er sich Zeit nähme, wieder zu Atem zu kommen, rot im Gesicht, vor Eifer schwitzend, die Stufen des Altars hinunter und ...

Kling-ling-ling! ... Kling-ling-ling!

Die dritte Messe beginnt. Nun sind es nur noch wenig Schritte bis zur Ankunft im Speisesaal; aber ach, je mehr der Weihnachtsschmaus herannaht, desto mehr fühlt sich der unglückselige Balaguère von wahnsinniger Ungeduld und Eßgier ergriffen. Seine Visionen verschärfen sich, die Goldkarpfen, die gebratenen Truthennen sind da, stehen vor ihm. Er berührt sie ... Er ... O Gott! ... Die Gerichte dampfen, die Weine duften; und die immer schrillere Stimme des rasch geschwungenen Glöckchens ruft ihm zu: »Rasch, rasch, rascher!«

Aber wie ist das möglich? Seine Lippen bewegen sich kaum. Er spricht die Worte nicht mehr aus. Will er wirklich den lieben Gott betrügen, ihm seine Messe stehlen? ... Ja, wirklich, das tut er, der Unglückselige! ... Er kann der Versuchung nicht widerstehen, zuerst überspringt er einen Vers, dann zwei. Dann ist die Epistel zu lang, er liest sie nicht zu Ende, er geht über das Evangelium hinweg, geht am Credo vorüber, überspringt das

Vaterunser und stürzt sich so mit gewaltigen Sätzen und Sprüngen in die ewige Verdammnis, stets begleitet von dem niederträchtigen Garrigou (Hebe dich weg, Satanas!), der ihm mit wunderbarem Verständnis sekundiert, ihm das Meßgewand aufhebt, immer zwei Blätter auf einmal umwendet, die Meßkännchen umstürzt und dabei beständig das Glöckchen immer stärker, immer schneller schwingt.

Die bestürzten Gesichter sämtlicher Zuhörer zu betrachten ist der Mühe wert. Genötigt, nach der Mimik des Priesters der Messe zu folgen, von welcher sie nicht ein Wort verstehen, erheben sich die einen, wenn die andern niederknien, setzen sich die ersten, wenn die letzten aufstehen, und sämtliche Phasen dieses sonderbaren Gottesdienstes fließen ineinander und finden ihren Ausdruck in den verschiedenartigsten Stellungen der Zuhörer auf den verschiedenen Bänken. Der Weihnachtsstern auf seiner Bahn am Himmel erblaßt vor Schreck beim Anblick solcher Verwirrung.

»Der Kaplan macht zu rasch… Man kann nicht folgen«, murmelt die alte Gräfin-Witwe, indem sie ihre Haube aufgeregt hin- und herbewegt. Meister Arnoton, seine große Stahlbrille auf der Nase, sucht mit Verwunderung in seinem Gebetbuch und fragt sich, wie zum Teufel man mit ihm daran sei. Aber im Grunde sind alle diese braven Leute, die ja ebenfalls an den Weihnachtsschmaus denken, gar nicht böse darüber, daß die Messe im Galopp vorwärts geht, und als Balaguère mit strahlendem Gesicht sich an die Anwesenden wendet und ihnen mit aller Kraft zuruft: »Ite, missa est«, da antwortet ihm die ganze Zuhörerschaft einstimmig mit einem so freudigen, so hinreißenden »Deo gratias«, daß man in Versuchung geriet zu glauben, man befinde sich schon an der Tafel beim ersten Toast des Weihnachtsschmauses.

Fünf Minuten später saß die ganze Schar der edlen Herren im großen Saal, der Kaplan mitten unter ihnen. Das Schloß, von unten bis oben erleuchtet, hallte wider von Gesängen, Rufen und Gelächter, und der ehrwürdige Balaguère durchstach mit seiner Gabel den Flügel eines Feldhuhns, indem er die Gewissensbisse wegen seiner Sünde unter Fluten edlen Weines und guten Bratensaucen zu ersticken suchte. Er trank und aß so viel, daß er in der Nacht einem entsetzlichen Anfall erlag, ohne auch nur die Zeit zur Reue zu finden. Am Morgen darauf kam er im

Himmel an, noch ganz aufgeregt von den Festlichkeiten der Nacht. Wie er dort empfangen wurde, könnt ihr euch denken.

»Aus meinen Augen, du schlechter Christ«, sprach zu ihm der oberste Richter, unser aller Herr, »deine Sünde ist so groß, daß sie den Wert eines ganzen tugendhaften Lebens aufwiegt … Ah! Du hast mir eine Nachtmesse gestohlen … Nun wohl, du wirst mir dafür dreihundert zahlen und wirst nicht eher Eintritt in das Paradies erlangen, als bis du diese dreihundert Weihnachtsmessen in deiner eigenen Kapelle und in Gegenwart aller derer zelebriert hast, welche mit dir gesündigt haben …«

Das ist die wahre Legende von Hochwürden Balaguère, wie man sie im Lande der Oliven erzählt. Heute existiert das Schloß Trinquelage nicht mehr, aber die Kapelle steht noch aufrecht auf der Höhe des Mont Ventoux, umgeben von einem Kranz grüner Eichen. Der Wind schlägt ihre zerfallenen Türen auf und zu, auf dem Boden wuchert das Unkraut, in den Winkeln des Altars und in den Ecken hoher Fenster, deren gemalte Glasscheiben längst verschwunden sind, nisten die Vögel. Gleichwohl scheint es, daß jedes Jahr zu Weihnachten ein übernatürliches Licht durch die Ruinen irrt, und die Bauern haben oft auf dem Weg zur Messe und zum Weihnachtsschmaus die gespenstische Kapelle von unsichtbaren Lichtern erleuchtet gesehen, die in freier Luft und selbst unter dem Schnee und im Wind brennen. Man mag darüber lachen, wenn man will; aber ein Winzer des Ortes, namens Garrigue, ohne Zweifel ein Nachkomme jenes Garrigou, hat mir versichert, daß er eines schönen Weihnachtsabends, als er gerade einen kleinen Rausch hatte, sich im Gebirge auf der Seite von Trinquelage verirrte, und was er dort sah, ist folgendes … Bis um elf Uhr nichts. Alles war in Schweigen gehüllt, wie erloschen und unbelebt. Plötzlich gegen Mitternacht ertönte eine Glocke hoch oben vom Glockenturm, eine alte, so alte Glocke, daß ihr Ton von zehn Stunden Entfernung herüberzutönen schien. Bald darauf sah Garrigue auf dem Weg, welcher zum Berg hinaufführt, Flämmchen aufleuchten und unbestimmte Schatten sich bewegen. Unter der Tür der Kapelle ertönten Schritte, man flüsterte: »Guten Abend, Meister Arnoton!«

»Guten Abend, guten Abend, meine Kinder!«

Als alle Welt in die Kapelle eingetreten war, trat mein Winzer, der sehr tapfer war, vorsichtig und leise näher und erblickte durch die Spalten der zerbrochenen Tür ein sonderbares Schauspiel. Alle die Leute, die er hatte vorübergehen sehen, waren in dem zerfallenen Schiff der Kapelle um den Chor herum geordnet, als wenn die alten Bänke noch vorhanden wären. Schöne Damen mit Spitzenhauben, von oben bis unten betreßte Herren, Bauern in buntfarbigen Jacken, wie sie unsere Großväter trugen, alle das Gesicht alt, welk, staubig, müde. Von Zeit zu Zeit umkreisten Nachtvögel, die gewöhnlichen Bewohner der Kapelle, durch alle diese Lichter aus dem Schlaf aufgestört, die Kerzen, deren Flamme gerade und undeutlich in die Höhe stieg, als ob sie hinter einem Schleier brenne. Und was Garrigue am meisten Spaß machte, das war eine gewisse Person mit großer Stahlbrille, welche jeden Augenblick ihre hohe, schwarze Perücke schüttelte, auf welcher einer der Vögel sich wie angewachsen aufrecht hielt und schweigend die Flügel auf und nieder bewegte …

Im Hintergrund lag ein kleiner Greis von kindlicher Gestalt in der Mitte des Chors auf den Knien und schwang verzweiflungsvoll ein Glöckchen ohne Klöppel und ohne Klang, während ein Priester in abgetragenem Meßgewand vor dem Altar hin- und widerging, beständig Gebete hersagend, von denen man nicht ein Wort hörte … Sicher war das Hochwürden Balaguère, der eben seine dritte stille Messe hielt.

Alphonse Daudet
(aus: Briefe aus meiner Mühle)

PUTER AMERIKANISCHE ART

Für 4 Personen

1 küchenfertiger Babyputer (3 kg)
Salz, ½ l Wasser
3 Zwiebeln
1 Lorbeerblatt
weißer Pfeffer aus der Mühle
50 g Margarine
1 Bund Petersilie
5 Scheiben Toastbrot
125 g Bratwurstfülle
1 TL getrockneter Salbei
frischgeriebene Muskatnuß
50 g Butter
2 TL Speisestärke
1 TL Zitronensaft

1. Beutel mit den Innereien aus dem Puter nehmen. Gesalzenes Wasser in einem Topf aufkochen. Hals, Magen und Herz abspülen, abtropfen lassen und hineingeben (Leber zurücklassen). 1 Zwiebel schälen. Mit dem Lorbeerblatt ebenfalls in den Topf geben. Innereien in 60 Minuten gar kochen. Mit einem Schaumlöffel herausnehmen. Brühe durch ein Sieb gießen und warm stellen.

2. Puter innen und außen unter kaltem Wasser abspülen und trockentupfen. Innen und außen mit Salz und Pfeffer einreiben.

3. Restliche Zwiebeln schälen und hacken. Margarine in einer Pfanne erhitzen und die Zwiebel darin in 3 Minuten glasig braten. Die Petersilie waschen, trockentupfen und fein hacken. Brotscheiben rösten und in ½ cm große Würfel schneiden. Puterleber abspülen, trockentupfen und hacken. Mit Zwiebelwürfeln, Petersilie, Brotwürfeln, Bratwurstfülle und knapp ⅛ l Puterbrühe in einer großen Schüssel mischen. Mit Salbei, Muskat, Salz und Pfeffer würzen. Puter damit füllen und die Hautöffnung zunähen.

4. Puter mit der Brustseite nach oben in eine Fettpfanne legen.

Butter in einem Topf zerlassen und über den Puter gießen. Mit Alufolie locker abdecken. Im vorgeheizten Ofen auf der unteren Schiene bei 180 Grad 2 Stunden braten.

5. 1 Stunde vor Ende der Garzeit Alufolie abnehmen. Puter mehrmals mit dem Bratfond begießen. In den letzten 10 Minuten nicht mehr begießen, damit er schön braun und knusprig wird.

6. In der Zwischenzeit die gekochten Innereien in ½ cm große Würfel schneiden. Puter herausnehmen und warm stellen. Bratfond mit der restlichen Brühe loskochen.

KARAMEL-KARTOFFELN

Für 4 Personen

750 g kleine Kartoffeln
1 l Wasser, Salz
100 g Zucker
3 EL Butter
1 EL Wasser
geriebene Muskatnuß
½ Bund Petersilie

1. Kartoffeln unter fließend kaltem Wasser abbürsten. Wasser in einen Topf geben. Salzen. Kartoffeln hineingeben und in 20 Minuten garkochen. Etwas abkühlen lassen und schälen.
2. Zucker in einem Topf in 5 Minuten bei geringer Hitze goldbraun rösten. Butter und Wasser unterrühren. Mit Muskat würzen. Kartoffeln dazugeben und schwenken, bis sie rundherum mit der Karamelmasse überzogen sind. In einer vorgewärmten Schüssel anrichten.
3. Petersilie unter fließend kaltem Wasser abspülen und trockentupfen. Kartoffeln damit garnieren.

Durch ein Sieb in einen Topf gießen. Speisestärke mit etwas kaltem Wasser verrühren und in den Bratfond geben. Unter Rühren einmal aufkochen lassen. Die Innereien dazugeben, mit Salbei und Zitronensaft würzen und mit Salz und Pfeffer abschmecken. Sauce bis kurz vor dem Kochen erhitzen.

7. Den Puter tranchieren und mit der Füllung auf einer vorgewärmten Platte anrichten. Sauce getrennt dazu reichen.

Dazu passen Brokkoli und Karamelkartoffeln.

BIGOS

Für 8 Personen

250 g durchwachsener Speck
1 mittelgroßer Kopf Weißkohl
750 g Sauerkraut
500 g saure Äpfel
50 g getrocknete Mischpilze
100 g Dörrpflaumen
3 Zwiebeln
400 g Schweinenacken
400 g Rindsschulter
200 g Wildgulasch
200 g Entenfleisch
200 g gekochter Schinken
200 g geräucherte Knoblauchwurst
4 EL Butter
6 Wacholderbeeren
½ TL Majoran
2 Lorbeerblätter
1 TL Kümmel
einige Pfefferkörner
grobes Salz
trockener Weißwein
oder Madeira
1 Döschen Tomatenmark

1. Speck grob würfeln. Weißkohl putzen, vierteln, waschen und in kräftige Streifen schneiden. Sauerkraut mit den Händen auspressen. Äpfel schälen, vierteln, entkernen und stückeln.
2. Auf dem Herd braucht man einen sehr großen Suppentopf (oder Kessel), der alle Zutaten für den Bigos faßt, und eine feste Kasserolle daneben, in der viele Zutaten erst einmal angeschmort werden: Im Suppentopf 2 l Wasser aufkochen und die Speckwürfel darin 3 Minuten blanchieren. Dann mit dem Schaumlöffel vorsichtig in die Kasserolle heben.
3. In der siedenden Fettbrühe zuerst den Weißkohl 10 Minuten garen, Sauerkraut zugeben und weitere 10 Minuten köcheln lassen. Dann die überstehende Gemüsebrühe abschöpfen, Apfelstücke untermischen und leise weiter schmoren lassen.
4. Trockenpilze einweichen. Dörrpflaumen waschen, entsteinen und kleinschneiden. Zwiebeln schälen und achteln. Fleisch und Schinken in Würfel, Wurst in Scheiben schneiden.
5. Den Speck in der Kasserolle mit Butter ausbraten und die Zwiebeln darin andünsten. Beides mit dem Schaumlöffel herausheben und unter das schmorende Kraut mengen.
6. Nun das Schweinefleisch in der Kasserolle kurz anschmoren und ebenso zum Bigos geben.
7. Dann das Rindfleisch in der Kasserolle anschmoren und ebenfalls zum Kraut geben. Nun Pflaumenfleisch und gut abgetropfte Pilze untermischen.
8. Wacholderbeeren im Mörser zerstoßen. Wildgulasch damit einreiben und in der Kasserolle mit etwas Butter anbraten. Ebenfalls in den Bigos geben.
9. Entenfleisch mit Majoran mischen, anbraten und unter den Bigos mengen.
10. Wurst und Schinken direkt in den Topf geben. Lorbeerblätter, Kümmel, Pfeffer- und Salzkörner im Mörser zerstoßen und die Mischung über den Bigos streuen. So viel Wein angießen, daß er richtig saftig ist. Anschließend alles nochmals durchmischen und Deckel aufsetzen.
11. Insgesamt soll der Bigos mindestens 2 Stunden schmoren und dünsten. Kurz vor dem Servieren mit in Wein verrührtem Tomatenmark, Pfeffer und Salz kräftig abschmecken.

Polen sagen, aufgewärmt schmecke ihr Bigos am besten, und in altpolnischen Rezepten wird der Dessertwein Madeira einem trockenen Wein vorgezogen, er verleiht einen süßlicheren und üppigeren Geschmack. Üppig ist Bigos auf jeden Fall – im Arbeitsaufwand wie auf dem Tisch. Ein weihnachtliches Festessen nach Herrenart, bei dem sicher viel Wodka fließen wird.

BORSCHTSCH

Für 6 Personen

500 g Rote Bete
300 g Kartoffeln
200 g Karotten
½ Knolle Sellerie
100 g Petersilienwurzel
5 Zwiebeln

4 EL Sonnenblumenöl
500 g Tomaten
3 EL Rotweinessig
1 Prise Zucker
2–2 ½ l Fleischbrühe (aus Extrakt)
½ Weißkohl
1 Bund Dill
250 g saure Sahne
Pfeffer aus der Mühle
Salz

1. Alle Wurzelgemüse gut schälen und waschen. Rote Bete, Kartoffeln und Karotten in grobe, Sellerie, Petersilienwurzel und Zwiebeln hingegen in feine Würfel schneiden.
2. Öl in einem schweren Topf erhitzen und die Zwiebeln darin rasch andünsten. Dann alle anderen Gemüsewürfel einschmoren.
3. Tomaten 3 Sekunden in heißem Wasser brühen, kalt abschrecken, häuten und dann hacken – oder geschälte Tomaten aus der Dose nehmen. Unter das schmorende Gemüse mischen, mit Essig und Zucker würzen.
4. Mit Fleischbrühe einen Finger breit bedecken. Kurz aufkochen und zugedeckt 30 Minuten leise köcheln lassen.
5. Weißkohl putzen und waschen. Blätter in grobe Streifen, den Strunk in feine Scheiben schneiden. Unter das Gemüse mengen, Brühe bis zur Oberfläche nachgießen und weitere 20 Minuten zugedeckt köcheln lassen.
6. Den Dill waschen, trockentupfen und fein hacken und wie die saure Sahne in einer Schale auf den Tisch stellen. Borschtsch mit Zucker, Pfeffer und Salz kräftig abschmecken und in eine vorgewärmte Schüssel füllen. Rahm und Dill gibt jeder nach Belieben auf den Teller.

SPANISCHE MANDELMAKRONEN

Für 45 Stück

500 g ungeschälte Mandeln
3 Eier
100 g grober Zucker
300 g feiner Zucker
1 TL gemahlener Anis
1 Msp. Zimt
Butter oder Margarine
zum Einfetten

1. Mandeln in einer trockenen Pfanne rösten. Dann in der Mandelmühle mahlen.
2. Eier trennen. Eigelb schaumig schlagen. Mit Mandeln, Zucker und Gewürzen mischen. Eiweiß sehr steif schlagen und unterrühren. Der Teig muß sehr fest sein.
3. Backblech mit Pergamentpapier oder Oblaten auslegen. Papier einfetten. Aus dem Teig Bälle von etwa 4 cm Durchmesser formen. In großen Abständen auf das Blech setzen. In den vorgeheizten Backofen auf die mittlere Schiene schieben und bei 220 Grad 15–20 Minuten hell backen.
4. Bällchen nach dem Backen sofort vom Papier lösen

Die Teigmenge reicht für zwei Bleche. Daher ist es besser, wenn Sie die Mandelmasse und das Eiweiß halbieren und zunächst nur die Hälfte zum Teig verarbeiten. Eiweißmasse darf nicht zu lange stehen. Für jeden Backvorgang Blech mit neuem Papier auslegen.

ENGLISCHE WEIH-NACHTSPLÄTZCHEN

Für 20 Stück

250 g Mehl
250 g Hafermehl
2 TL Backpulver
2 TL Ingwerpulver
130 g Zucker
60 g Margarine
60 g Schweineschmalz
340 g Sirup
120 ml Milch

Außerdem:
Mehl zum Ausrollen
Margarine zum Einfetten

1. Mehl, Hafermehl, Backpulver, Ingwer und Zucker mischen. Die weiche Margarine und das Schmalz in Flocken darauf verteilen und verkneten. Dabei eßlöffelweise den Sirup und die Milch zugeben. Teig 30 Minuten im Kühlschrank ruhenlassen.
2. Teig auf dem bemehlten Backbrett zu einer Rolle von 6 cm Durchmesser formen. In 20 Scheiben schneiden. Teigplätzchen auf ein eingefettetes Backblech legen. Blech in vorgeheizten Ofen auf die mittlere Schiene schieben. Bei 180 Grad 15 Minuten backen.

SCHWEDISCHER GEWÜRZKUCHEN

Für 15 Scheiben

125 g Margarine
200 g Zucker
100 ml Buttermilch
je ½ TL Natron, Zimt,
gemahlene Nelken
und Kardamom
250 g Mehl

Außerdem:
Margarine zum Einfetten

1. Margarine mit Zucker und Ei mit dem Handrührgerät schaumig rühren. Langsam die Buttermilch einlaufen lassen. Die Gewürze dazugeben. Nach und nach das Mehl unterrühren.
2. Eine Kastenform von 18 cm Länge gut einfetten. Den Teig hineinfüllen. Kuchenrost auf die untere Schiene des auf 180 Grad vorgeheizten Backofens schieben. Die Form darauf stellen und den Kuchen 90 Minuten backen.
3. Kuchen in der Form 10 Minuten abkühlen lassen, dann auf eine Platte stürzen. Eventuell noch warm mit einem Zuckerguß verzieren. Wenn er ganz abgekühlt ist, in Stücke schneiden.

CASSATA NAPOLITANA

Für 6 Personen

200 g Vanilleeis
200 g Himbeereis
200 g Pistazieneis
150 g Zucker
3 Eiweiß
150 g gewürfelte kandierte Früchte,
2 cl Rum
125 g Sahne

Außerdem:
250 g Sahne
kandierte Früchte

1. Eis in der Eisdiele kaufen (tiefgefrorenes Eis ist ungeeignet). Das Himbeereis etwas weich werden lassen. Eine runde Schüssel oder auch eine Eisbombenform so hoch wie möglich damit ausfüllen. Eiscreme im Tiefkühlfach wieder fest werden lassen. Dann mit Vanille- und Pistazieneis ebenso verfahren.

2. Zucker mit 2 Eßlöffel Wasser erhitzen und auflösen, Eiweiß zu steifem Schnee schlagen. Miteinander verrühren, bis die Masse bindet. Erkalten lassen.

3. Kandierte Früchte mit Rum tränken. Zusammen mit der Schlagsahne unter die Eiweißmasse rühren. Die Mitte der Eisbombe damit füllen. Im Tiefkühlfach 5 Stunden gefrieren lassen.

4. Auf eine Platte stürzen und mit Schlagsahne und kandierten Früchten garnieren.

Muffins mit Kürbis

Für 12 Stück

ca. 250 g Kürbis
1 Möhre
50 g Rosinen
3 EL Orangenlikör
250–300 g Mehl
1 Päckchen Backpulver
75 g Zucker
je 1 Prise Salz und Muskat
1 Msp. gemahlener Ingwer
2 Eier
knapp ⅛ l Milch
4–5 EL Nußöl
(Walnuß-, Haselnuß-
oder Sonnenblumenöl)
ca. 12 Muffinförmchen
mit 6–7 cm Durchmesser

1. Kürbis schälen und entkernen (ergibt ca. 150 g). Möhre schälen. Beides auf der Gemüsereibe raspeln. In ein Sieb geben und abtropfen lassen. Rosinen in Orangenlikör einweichen und ca. 30–45 Minuten darin quellen lassen.

2. Mehl, Backpulver, Zucker, Salz, Muskat und Ingwer in einer Schüssel vermischen. Eier, Milch und Öl zusammen verquirlen. Nach und nach zum Mehl gießen. Kräftig rühren und schlagen, bis der Teig glatt ist und Blasen wirft. Gut ausgepreßte und mit Küchenpapier getrocknete Gemüseraspeln und Rosinen unter den Teig mischen.

3. Masse sofort in die Förmchen verteilen. Auf ein Backblech stellen und die Muffins in der Mitte des auf 175 Grad vorgeheizten Backofens 40–50 Minuten backen.

AMERIKANISCHER FRÜCHTEPIE

Für 12 Stücke

Für den Teig:
250 g Mehl, 180 g Butterschmalz
½ TL Salz

Für die Füllung:
200 g Backpflaumen
(ohne Stein)
200 g getrocknete Aprikosen
100 g Walnüsse
100 g brauner Zucker
abgeriebene Schale von
1 unbehandelten Zitrone
1 TL Vanillezucker
100 g zerlassene Butter

Außerdem:
Puderzucker

1. Mehl in eine Schüssel geben. Das kalte Butterschmalz auf einer groben Reibe darüberraffeln, Salz darüberstreuen. Alles mit den Fingern schnell zu feinen Flocken verarbeiten. 6 Eßlöffel eiskaltes Wasser darübersprenkeln und sofort mit den Händen zu einem Teigkloß kneten und formen. In Folie verpackt etwa 30 Minuten an einem kühlen Ort ruhenlassen.
2. Inzwischen den Belag vorbereiten: Backpflaumen und Aprikosen in einen Topf geben, mit Wasser bedeckt zum Kochen bringen; ca. 4 Minuten offen kochen lassen. Abgießen, gut abtropfen lassen und trockentupfen. Früchte vierteln, Nüsse grob zerschneiden, beides vermischen. Zucker, Zitronenschale, Vanillezucker und zerlassene Butter dazugeben. Alles gut vermischen.

3. Zwei Drittel vom Pieteig abnehmen, zwischen Klarsichtfolie dünn ausrollen, eine Pieform (24 cm Durchmesser) damit auskleiden. Fruchtfüllung hineingeben und glattstreichen. Restlichen Teig ausrollen, in fingerbreite Streifen schneiden, zu einem Gitter über die Füllung legen. Am Rand festdrücken. Den Pie im vorgeheizten Backofen bei 175 Grad etwa 1 Stunde backen. Hauchdünn mit Puderzucker bestäuben.
Man kann den Pie heiß, lauwarm oder kalt servieren. Er hält sich abgedeckt und kühl bis zu 2 Wochen.

SILVESTER UND NEUJAHR

Der letzte Tag des Jahres ist gekommen: Zeit, ein wenig Rückschau zu halten und das Jahr Revue passieren zu lassen. Doch auch wenn Sie (wieder) nicht all das erreicht haben sollten, was Sie sich vorgenommen haben, ist das noch lange kein Grund, schwermütig zu werden. Wir wollen diesen letzten Tag lieber fröhlich ausklingen lassen. Was ist dazu besser geeignet, als im Freundeskreis eine beschwingte Silvesterparty zu veranstalten. Deswegen finden Sie im folgenden Kapitel überwiegend Rezepte, die sich für ein Buffet eignen. Ein paar Dekorationen wie selbstgemachte Glücksbringer und Knallbonbons geben den richtigen Rahmen. Und wenn Ihnen die Zeit bis zum mitternächtlichen Anstoßen zu lange wird, sollten Sie sich ruhig einmal wieder des guten alten Bleigießens erinnern. Die Zukunftsprognosen, die jeder da für sich herauslesen kann, ergeben garantiert jede Menge Gesprächsstoff.

145

Des Jahres letzte Stunde

Des Jahres letzte Stunde
ertönt mit ernstem Schlag.
Singt, singt aus Herzensgrunde
und wünscht ihm Segen nach!
Zu jenen grauen Jahren
entfliegt es, welche waren;
es brachte Freud und Kummer viel
und führt' uns näher an das Ziel.

Wer weiß, wie mancher modert
ums Jahr, versinkt ins Grab!
Unangemeldet fordert
der Tod die Menschen ab.
Trotz lauem Frühlingswetter
wehn oft verwelkte Blätter.
Wer von uns nachbleibt, wünscht dem Freund
im stillen Grabe Ruh und weint.

Auf, auf, seid frohen Mutes,
auch wenn uns Trennung droht!
Wer gut ist, findet Gutes
im Leben und im Tod!
Dort sammeln wir uns wieder
und singen Wonnelieder!
Schlagt ein und: Gut sein immerdar!
sei unser Wunsch zum neuen Jahr!

Johann Heinrich Voß

KNALLBONBON

leere Papprolle (Haushaltsfolie)
nicht zu dünner, biegsamer Karton
bunt glitzernde Bänder
Borten und Schleifen
Glitterfarbe aus der Tube
schmales Band
Klebstoff

1. Die Rolle in 5 cm lange Stücke schneiden. Von dem Karton einen 3 cm breiten Streifen abschneiden (die Länge entspricht dem Umfang der Rolle plus Übertritt). Diesen in die Rolle kleben, dabei etwa die Hälfte herausschauen lassen. Die beiden Rollenteile zusammenstecken.
2. Die Rollenteile mit Bändern und Borten bekleben und mit Glitterfarbe beziehen. An den beiden Enden die Bänder überstehen lassen und mit Schleifenband abbinden. In die Mitte eines jeden Bonbons kleine Überraschungen oder einen Zettel mit einem lustigen Spruch stecken.

GLÜCKSBRINGER AUS SALZTEIG

Für den Salzteig ⅓ Salz und ⅔ Mehl miteinander mischen. 1–2 Eßlöffel Tapetenkleister und so viel Wasser unterkneten, daß ein elastischer, aber nicht klebender Teig entsteht. Salzteig ist nicht zum Verzehr bestimmt!

Für die Glücksbringer:
Salzteig
grüne Farbe
fester Karton
Schleifenband
Wellholz
Bastelmesser
Backblech, Backpapier
Küchenmesser
Gemüsemesser

1. Ein vierblättriges Kleeblatt auf den Karton zeichnen und ausschneiden.
2. Vom Salzteig einen Teil abnehmen und die grüne Farbe unterkneten. Etwa ½ cm dick auswellen, die Schablone auflegen und das Kleeblatt mit einem Messer ausschneiden. Aus dem neutralen Teig den Stiel schneiden und am Kleeblatt festdrücken.
3. Für das Glücksschweinchen eine Schweinchen-Schablone herstellen, auf den Teig legen und mit einem Messer ausschneiden. Das Gesicht und die Körperkonturen mit dem Messerrücken gestalten, in den Körper lauter Pfennigstücke stecken.
4. Die Salzteigformen auf ein mit Backpapier ausgelegtes Blech legen und im Backofen auf der mittleren Schiene bei 100–120 Grad etwa 2–2½ Stunden trocknen.
5. Dem fertigen Schweinchen eine Schleife um den Hals binden.

BUNTER KARTOFFEL-SALAT

Für 4 Personen

300 g festkochende Kartoffeln
2 Gewürzgurken
1 Apfel
2 Tomaten
2 Zwiebeln
2 Paprikaschoten

Für die Marinade:
1 hartgekochtes Ei
½ EL Senf, 3 El Öl
1 EL Estragon-
oder anderer Essig
Salz
Pfeffer
¼ TL Zucker

Zum Garnieren:
1 hartgekochtes Ei
1 Tomate, Petersilie
Paprika edelsüß

1. Die Kartoffeln waschen und in einem Topf mit kaltem Wasser bedeckt in 25–30 Minuten gar kochen. Kartoffeln erkalten lassen und pellen.
2. Kartoffeln, Gurken, geschälten, entkernten Apfel und die gehäuteten Tomaten (grünen Stengelansatz herausschneiden) in gleichmäßig große Würfel schneiden. Zwiebeln schälen. Paprikaschoten waschen und putzen. Beides fein würfeln. Alle diese Zutaten in eine Schüssel geben und mischen.
3. Für die Marinade das hartgekochte Ei halbieren. Das Eigelb herausnehmen und mit einer Gabel zerdrücken. Mit Senf verrühren.

(Das Eiweiß fein würfeln und zu den anderen Zutaten in die Schüssel geben.) Öl nach und nach hineinmischen. Dann Essig, Salz, Pfeffer und Zucker zufügen. Pikant abschmecken. Zum Salat geben und gut mischen.
4. Den Salat 30 Minuten ziehen lassen. In einer Schüssel anrichten. Mit geachteltem Ei, Tomatenscheiben und Petersilie garnieren. Mit Paprika bestäubt servieren.

AVOCADOCREME MIT FRÜHLINGS-ZWIEBELN

Für 4 Personen

*2 große, reife Avocados
frischgepreßter Saft
von 1 Zitrone
1 Ei
4 Frühlingszwiebeln
1 TL scharfer Senf
1 kleine Knoblauchzehe
frischgeriebene Muskatnuß
Pfeffer aus der Mühle
Salz
edelsüßes Paprikapulver
1 EL Sahne*

1. Die gut reifen Avocados halbie-ren, entsteinen und das Frucht-fleisch herauslösen. Mit Zitronen-saft beträufeln und in einer kleinen Schüssel mit einer Gabel fein zer-drücken.

2. Das Ei hartkochen, abschrecken, schälen und kleinhacken.

3. Die Frühlingszwiebeln waschen, Zwiebelgrün und Wurzelende ent-fernen und die Zwiebeln klein-hacken.

4. Das Avocadofleisch mit den Zwiebeln und dem Ei vermischen und den Senf unterrühren.

5. Die Knoblauchzehe schälen und durch die Knoblauchpresse direkt in die Creme hineindrücken.

6. Die Creme mit den Gewürzen abschmecken und 1 Eßlöffel Sahne unterrühren. Mit Pumpernickel ser-vieren.

KARTOFFELKUCHEN VOM BLECH

Für 30 Stücke

600 g Kartoffeln
Salz

Für den Teig:
200 g Mehl
20 g Hefe
2 EL Zucker
8 EL warme Milch
30 g Margarine
1 Prise Salz

Für den Belag:
2 Eigelb
75 g Zucker
1 Prise Salz
1 Msp. Kardamom
abgeriebene Schale und
Saft von 1 Zitrone
250 g saure Sahne
2 Eiweiß

Außerdem:
Mehl zum Ausrollen
Margarine zum Einfetten
40 g Zucker
1 TL Zimt
30 g Butter

1. Am Vortag die Kartoffeln unter fließendem Wasser abbürsten, In einem Topf mit Wasser bedeckt 25 Minuten kochen lassen. Abschrecken, abziehen und zugedeckt an einem kühlen Ort stehenlassen.

2. Am nächsten Tag für den Teig Mehl in eine Schüssel geben. In die Mitte eine Mulde drücken. Hefe mit 1 Teelöffel Zucker und Milch verrühren und in die Mulde gießen. Mit etwas Mehl vom Rand zu einem Vorteig verrühren. Mehl darüberstäuben. 10 Minuten an einem warmen Ort gehen lassen.

3. Margarine in Flöckchen auf den Rand setzen. Den restlichen Zucker und das Salz in die Mitte streuen. Von außen nach innen einen Teig kneten, bis er sich vom Rand löst. 60 Minuten zugedeckt an einem warmen Ort gehen lassen.

4. Für den Belag Kartoffeln reiben. Die Eigelbe und Zucker in einer Schüssel schaumig rühren. Salz, Kardamom, Zitronenschale und -saft zugeben. Kartoffeln und saure Sahne darunterrühren. Die Eiweiße steifschlagen und unterheben.

5. Teig auf dem bemehlten Backbrett 1 cm dick ausrollen. Backblech mit Margarine einfetten. Teig auf das Blech geben. Belag darauf streichen. Zucker und Zimt mischen und darüberstreuen. Die Butter in Flöckchen darauf setzen.

6. Blech in den vorgeheizten Backofen auf die mittlere Schiene schieben. 30 Minuten bei 200 Grad backen. Herausnehmen und in 6 mal 6 cm große Stücke schneiden.

ZWIEBELKUCHEN

Für 4–6 Personen

Für den Hefeteig:
250 g Mehl
15 g Hefe
⅛ l lauwarme Milch
je 1 Prise Zucker
und Salz
50 g Butter

Für den Belag:
1 kg Schalotten
1 EL Butter
2 EL Sonnenblumenöl
125 g saure Sahne
3 Eier
1 EL Kümmel
Salz
schwarzer Pfeffer aus der Mühle

1. Das Mehl in eine hohe Schüssel geben und in der Mitte eine kleine Mulde formen. Die Hefe . zerbröckeln und mit etwas Milch, je 1 Prise Zucker und Salz in die Mulde geben und mit etwa 3 Eßlöffel Mehl zu einem Vorteig vermischen. Den Teig zugedeckt an einem warmen Ort mindestens 15 Minuten gehen lassen.
2. In der Zwischenzeit die Butter auf kleinster Flamme zerlassen.
3. Nun den Vorteig mit dem restlichen Mehl und der übrigen Milch etwas vermengen und zum Schluß die zerlassene Butter hinzugeben. Den Teig so lange durchkneten, bis er Blasen wirft und sich leicht von der Schüssel löst.
4. Ein Backblech gut einfetten, den Teig darauf etwa ½ cm dick ausrollen und mit einer Gabel einige Male einstechen. Den Teig am Rand etwas hochziehen und

festdrücken. Mit einem Tuch bedecken und 45 Minuten gehen lassen.
5. Für den Belag die Zwiebeln schälen und in dünne Scheiben schneiden.
6. Butter bei schwacher Hitze in einer Pfanne zerlassen, das Sonnenblumenöl zufügen und die Zwiebelscheiben bei schwacher Hitze zugedeckt 10 Minuten dünsten, nicht bräunen. Anschließend abkühlen lassen.
7. Die Sahne mit den Eiern verquirlen, den Kümmel dazugeben und mit Salz und Pfeffer würzen.
8. Die abgekühlten Zwiebelscheiben auf dem Teig verteilen, die Sahne-Eier-Masse darübergießen und den Zwiebelkuchen auf der mittleren Schiene in den auf 200 Grad vorgeheizten Backofen geben und 40–50 Minuten garen. Sofort servieren.

Ihr Hirten, erwacht!

Ihr Hirten, erwacht!
Seid munter und lacht!
Die Engel sich schwingen
vom Himmel und singen:
»Die Freude ist nah;
der Heiland ist da.«

Ihr Hirten geschwind!
Kommt, singet dem Kind!
Blast in die Schalmeien,
sein Herz zu erfreuen!
Auf, suchet im Feld
den Heiland der Welt!

Sie hörten das Wort
und eilten schon fort.
Sie kamen in Haufen
im Eifer gelaufen
und fanden da all
den Heiland im Stall.

Die kannten geschwind
das himmlische Kind.
Sie fielen darnieder
und sangen ihm Lieder
und bliesen dabei
die Pfeif und Schalmei!

Volkslied

GULASCHSUPPE

Für 4–6 Personen

500 g Rindfleisch (z. B. Schulter)
500 g Zwiebeln
2 Knoblauchzehen
2 EL Butterschmalz
Salz
schwarzer Pfeffer aus der Mühle
2 EL Tomatenmark
3 EL edelsüßer Paprika
1 EL Rosenpaprika
2 l Fleischbrühe
Cayennepfeffer
1 Lorbeerblatt
4 mittelgroße Kartoffeln

1. Das Fleisch waschen, trockentupfen und in Würfel schneiden. Die Zwiebeln schälen und grob hacken. Die Knoblauchzehen schälen und durch die Knoblauchpresse drücken.
2. Das Butterschmalz erhitzen und das Fleisch darin anbraten. Zwiebeln und Knoblauch hinzufügen und kurz andünsten. Salz, Pfeffer, Tomatenmark und Paprika einrühren, einige Sekunden schmoren lassen und anschließend mit der Brühe ablöschen. Alles gut umrühren, mit Cayennepfeffer abschmecken, das Lorbeerblatt dazugeben und zugedeckt etwa 1 Stunde kochen.
3. Die Kartoffeln schälen, in Würfel schneiden, nach 1 Stunde in die Suppe geben und 30 Minuten weich garen. Die Suppe darf nicht kochen. Mit Salz und Pfeffer abschmecken und servieren.

KÄSEFONDUE

(Foto rechts)

Für 6 Personen

1 Knoblauchzehe
500 g Gruyère
500 g Appenzeller
450 ml trockener Weißwein
4 TL Speisestärke
6 EL Kirschwasser
800 g Weißbrot

1. Eine Steingutkasserolle (Caquelon) gut mit der halbierten Knoblauchzehe ausreiben. Den Käse nicht zu fein reiben. Den Wein in die Kasserolle gießen, auf den Herd stellen und erwärmen. Nach und nach den Käse zugeben, dabei ständig mit einem Holzlöffel umrühren.
2. Den Käse bei schwacher Hitze schmelzen lassen, anschließend zum Kochen bringen. Die Speisestärke mit dem Kirschwasser verrühren, zu der Käsemasse geben und aufkochen lassen. So lange weiterrühren, bis sich alles zu einer sämigen Masse verbunden hat.
3. Weißbrot in Würfel schneiden. Fondue auf das Rechaud auf den Tisch stellen. Brotwürfel dazu servieren. Jeder steckt Brotwürfel auf die Fonduegabel und rührt damit einmal durch die Käsemasse.

Zum Fondue den gleichen Weißwein trinken, den man zur Zubereitung der Käsemasse verwendet hat. Nach dem Essen sollten Sie einen Verdauungsschnaps reichen.

CHILI CON CARNE

Für 6 Personen

300 g getrocknete rote Bohnenkerne
Salz
800 g Tomaten
3 Zwiebeln
2 Chilischoten oder
kleine Peperoni
2 Knoblauchzehen
4 EL Maiskeimöl
800 g Hackfleisch
eventuell etwas Fleischbrühe
(aus Extrakt)
Pfeffer aus der Mühle

1. Die Bohnenkerne gut waschen und über Nacht einweichen. Am nächsten Tag mit dem gesalzenen Einweichwasser bedeckt aufkochen und dann zugedeckt bei geringer Hitze eine gute Stunde garen.

2. Die Tomaten kurz überbrühen, kalt abschrecken, häuten, entkernen und vierteln. Die Zwiebeln schälen und wie einen Apfel in Spalten teilen. Die Chilischoten oder Peperoni unter warmem Wasser aufschneiden, entkernen und quer in feine Streifen schneiden. Die Knoblauchzehen schälen und fein hacken.

3. Das Öl in einer großen Kasserolle erhitzen, die Zwiebelspalten darin andünsten. Hackfleisch, Chili und Knoblauch zugeben und bei geringer Hitze gut durchbraten, dabei mehrmals kräftig rühren.

4. Tomatenfleisch zugeben und aufköcheln, dann ein wenig eindünsten lassen.

5. Die gegarten Bohnen mit einem Schaumlöffel aus dem Kochsud heben und unter die Hackfleischmasse mischen. Mit Bohnensud oder etwas Fleischbrühe verflüssigen und mit Salz und Pfeffer kräftig abschmecken.

SILVESTERKRAPFEN

Für 12 Stück

500 g Weizenmehl
½ TL Salz
30 g Hefe
knapp ¼ l lauwarme Milch
100 g Butter
60 g Zucker
abgeriebene Schale
von ½ Zitrone
1 EL Rum
3 Eigelb
Ausbackfett

Außerdem:
festes Gelee
oder Konfitüre
Zucker zum Wenden
oder Puderzucker zum Bestreuen
oder Rumzuckerguß
aus 150 g Puderzucker
und 2 EL Rum

1. Das Mehl mit dem Salz vermischen und in die Mitte eine Vertiefung drücken. Die Hefe hineinbröckeln und mit der Hälfte der Milch verrühren. Zugedeckt an einem warmen Ort 20 Minuten gehen lassen.
2. Die Butter in der restlichen noch lauwarmen Milch schmelzen lassen und an den Teig geben. Zucker, Zitronenschale, Rum und die Eigelbe hinzufügen. Mit dem Knethaken eines Handrührgerätes oder einer Küchenmaschine so lange schlagen, bis der Teig sich vom Schüsselboden löst. Den Teig zugedeckt an einem warmen Ort 1 Stunde aufgehen lassen.
3. Dann den Hefeteig auf einem bemehlten Brett nicht zu dünn ausrollen und auf der einen Teighälfte Kreise mit einem Glas markieren. In die Mitte eines jeden Kreises 1 Teelöffel Gelee oder Konfitüre geben. Die zweite Teighälfte darüberfalten. Mit dem Glas um die Konfitürehäufchen, die sich auf dem oberen Teigdeckel abzeichnen, Kreise ausstechen, dabei die Ränder fest zusammendrücken. Die Krapfen mit der Unterseite nach oben auf einem bemehlten Brett in etwa 30 Minuten um das Doppelte ihres Umfanges aufgehen lassen.
4. Das Ausbackfett auf 170 Grad erhitzen. Die Krapfen mit der Oberseite zuerst, in dem heißen Fett schwimmend von beiden Seiten goldbraun backen. Das Gebäck zum Abtropfen auf ein Sieb geben.
5. Sofort entweder in Zucker wenden oder mit Puderzucker bestreuen oder die Oberseite mit Rumzuckerguß bestreichen.

NEUJAHRSBREZEL

Für 1 große Brezel

Für den Teig:
350 g Mehl
20 g Hefe
100 ml lauwarme Milch
50 g Butter
60 g saure Sahne
1 Ei
40 g Zucker
¼ TL Salz
1 Msp. Muskat
abgeriebene Schale von ½ Zitrone
Mehl zum Ausrollen
Margarine zum Einfetten

Außerdem:
1 Eigelb

1. Für den Teig Mehl in eine Schüssel geben. In die Mitte eine Mulde drücken und die Hefe hineinbröckeln. Mit Milch und Mehl zum Vorteig verrühren und 15 Minuten gehen lassen.
2. Butter flüssig werden lassen und mit saurer Sahne, Ei, Zucker, Salz, Muskat und Zitronenschale zum Vorteig geben. Zu einem glatten, festen Hefeteig kneten. Teig 15 Minuten zugedeckt an einem warmen Ort gehen lassen.
3. Aus dem Teig die Stränge von 50 cm Länge rollen. Die Stränge sollen zu den Enden hin dünner werden. Davon einen Zopf flechten und diesen zu einer Brezel legen. Auf ein gefettetes Backblech geben und zugedeckt an einem warmen Ort noch mal 20 Minuten gehen lassen.
4. Oberfläche mit Eigelb bestreichen. In den vorgeheizten Ofen auf die mittlere Schiene stellen und bei 220 Grad 20 Minuten backen.

NEUJAHRSTORTE

Für 16 Stücke

Für den Teig:
500 g Mehl
200 g Butter oder Margarine
150 g Puderzucker
1 Ei
1 Prise Salz
60 g saure Sahne

Für die Mohnfüllung:
200 g gemahlener Mohn
50 g Butter
50 g Zucker
50 g kernlose Rosinen
1 EL Honig
50 ml Rum (60 g)
1 Päckchen Vanillezucker
100 ml kochendes Wasser

Für die Nußfüllung:
150 g gemahlene Haselnußkerne
2 EL Zucker
1 Msp. Zimt
50 ml heiße Milch

Für die Apfelfüllung:
500 g Äpfel (Boskoop)
Saft von ½ Zitrone
75 g Zucker

Außerdem:
Mehl zum Ausrollen
4 EL rotes Johannisbeergelee
1 Eigelb zum Bestreichen

1. Für den Teig Mehl, das weiche Fett, Puderzucker, Ei, Salz und saure Sahne mit dem Handrührgerät zu einem geschmeidigen Teig kneten. Zugedeckt 30 Minuten kühlen.
2. Für die Mohnfüllung Mohn, zerlassene Butter, Zucker, die gewaschenen, abgetropften Rosinen, Honig, Rum und Vanillezucker verrühren. Das kochende Wasser darübergießen. Unter ständigem Rühren aufkochen und 5 Minuten kochen lassen. Abkühlen.
3. Für die Nußfüllung Haselnüsse, Zucker und Zimt in die Milch rühren.
4. Für die Apfelfüllung die Äpfel abspülen, schälen, vierteln, entkernen und quer in 3 mm dicke Scheiben schneiden. Mit Zitronensaft beträufeln und mit Zucker bestreuen.
5. Den Teig auf der bemehlten Arbeitsfläche 2 mm dick ausrollen. Drei runde Platten mit einem Durchmesser von 26 cm ausschneiden. Aus den Resten Teigstreifen für Rand und Gitter schneiden.
6. Die erste Teigplatte in eine Springform gleicher Größe legen. Mohnfüllung darauf streichen. Darüber den zweiten Boden und die Nußfüllung geben. Mit dem dritten Boden bedecken. Darauf das Gelee streichen. Apfelfüllung darauf verteilen. Mit einem Teiggitter belegen. Teigstreifen mit Eigelb bestreichen. Form in den vorgeheizten Ofen auf die mittlere Schiene stellen und bei 200 Grad 80 Minuten backen. Abkühlen lassen und in Stücke schneiden.

Neujahrsglocken

In den Lüften schwellendes Gedröhne,   *Leis verhallen, die zum ersten riefen,*
leicht wie Halme beugt der Wind die Töne: *neu Geläute hebt sich aus den Tiefen.*

Große Heere, nicht ein einzler Rufer!
Wohllaut flutet ohne Strand und Ufer.

Conrad Ferdinand Meyer

BASTELANLEITUNGEN

A
Adventskalender 25
Adventskalender mit Weihnachts-
  päckchen 24

B
Baumschmuck aus Baiser 88
Bemalte Weihnachtsdosen 40
Bunter Nußkranz 9

C, D
Country-Stiefel 41
Duftkranz aus Eukalyptus 32

F
Fensterschmuck 81
Festlicher Tisch 82
Früchtekranz 16

G
Gebackene Gutscheine 60
Geflügelte Rolle 59
Geprägte Karten 59
Gewürzstrauß 17
Glücksbringer aus Salzteig 147
Golddosen 55
Gutscheine, gebackene 60

K
Karten mit Gold 59
Karten mit Papierspitze 59
Karten, geprägte 59
Kekse aus Honigkuchenteig 88
Kekse aus Mürbeteig 88
Kekse aus Spritzgebäck 88
Kerzen, selbstgegossene 52
Knallbonbon 147
Kranz mit Beeren und Nüssen 8
Kunstkarten 58

L, M
Lichttüten 82
Mandarinenkugel 8

S, T
Selbstgegossene Kerzen 52
Springerle 90
Süße Grüße zum Fest 57
Transparent in Schale 54

W
Weihnachtliche Schale 32
Weihnachtsdosen, bemalte 40

REZEPTE

A
Amerikanischer Früchtepie 143
Aprikosen-Quark-Stollen 15
Austernpilzpastetchen Königin-Art
  109
Avocadocreme mit Frühlings-
  zwiebeln 149

B
Baumkuchenspitzen 67
Bigos 138
Blumenkohlterrine 114
Bohnencurry mit Tomaten und
  Safranreis 114

Borschtsch 139
Brataäpfel 102
Bunte Gewürzplätzchen 31
Bunter Kartoffelsalat 148

C
Cassata Napolitana 141
Chili con carne 154

D
Datteln gefüllt 68

E
Eingemachte Zwiebeln 72
Englische Weihnachtsplätzchen 140
Ente mit Äpfeln und Backpflaumen
  110
Espresso-Nougat-Rauten 70

F
Feigenkonfekt 69
Feines Früchtebrot 12
Fondue chinoise 101
Französisches Tomatengelee 126
Früchtebrot mit Dörrobst 13
Früchtebrot, feines 12
Früchtepie, amerikanischer 143
Fruchtsterne 49

G
Gans Mecklenburger Art 112
Gewürzgebäck, süßes 27
Gewürzkuchen 10
Gewürzkuchen gefüllt 11
Gewürzkuchen, schwedischer 140
Gewürzplätzchen, bunte 31
Gulaschsuppe 152

H
Hamburger Heringssalat 97
Haselnuß-Honigkuchen 18
Haselnuß-Pflaumen-Konfekt 70
Hefezopf mit Mandelfüllung 107
Heidesand 30
Heringssalat, Hamburger 97
Honigkuchenhaus 78
Hummerfrikassee, schwedische 126

I
Ingwerkonfekt 69
Ingwertrüffel 61

K
Karamelkartoffeln 137
Karpfen blau 100
Kartoffelknödel 112
Kartoffelkuchen vom Blech 150
Kartoffelsalat, bunter 148
Käsefondue 152
Kastaniendessert 117

Klagenfurter Lebzelten 20
Kokoskugeln 70
Kürbischutney 73
Kürbiskonfitüre 75

L
Lammkeule mit Kartoffeln und Gemüse 98
Lebkuchen mit Füllung 22
Lebkuchen, Nürnberger 18
Lebkuchenstiefel 38
Lebzelten, Klagenfurter 20

M
Mandelbögen 28
Mandelmakronen 28
Mandelmakronen, spanische 140
Mandelspekulatius 29
Mangoldkrapfen, Schweizer 127
Möhrenchutney mit Aprikosen 75
Muffins mit Kürbis 142

N
Neujahrsbrezel 156
Neujahrstorte 156
Nikolausstiefel 39
Nürnberger Lebkuchen 18
Nußprinten 18

O
Orangenkonfekt 69

P
Panettone 60
Pastete mit Möhren und Champignons 97
Pfeffernüsse 19
Plumpudding 124
Puter amerikanische Art 136

Q
Quarkstollen 15
Quittenbrot 66

R
Rebhuhn in Wirsing 99
Rehrücken mit Schmoräpfeln im Römertopf 110

S
Sanddorneis mit eingelegtem Obst 116
Schalottenessig, würziger 74
Schokoladenkuchen 60
Schokoladenlebkuchen mit Nüssen 22
Schwedische Hummerfrikassee 126
Schwedischer Gewürzkuchen 140
Schweizer Mangoldkrapfen 127
Silvesterkrapfen 155
Sojakerntaler 27
Spanische Mandelmakronen 140
Stockfischsuppe 96
Stollen nach sächsischer Art 14
Stutenkerl oder Stutenfrau 36
Süßes Gewürzgebäck 27

T
Tomatenchutney 74
Tomatengelee, französisches 126
Tomatenklößchen in Rinderbrühe 108

V
Vanillekipferl 26

W
Weihnachtsplätzchen, englische 140
Würziger Schalottenessig 74

Z
Zimtsterne 26
Zucchinimarmelade 75
Zwiebelkuchen 151
Zwiebeln, eingemachte 72

REGISTER

GEDICHTE, LIEDER, GESCHICHTEN

Alle Jahre wieder 110
Am Weihnachtsbaum die Lichter
brennen 106
Der Christbaum der armen Kinder
(Fedor M. Dostojewskij) 84
Die drei stillen Messen
(Alphonse Daudet) 128

Es begab sich aber zu der Zeit…
(Lukas-Evangelium) 94
Frankfurter Brenten
(Eduard Mörike) 16

Die heilige Nacht
(Eduard Mörike) 119
Ihr Hirten erwacht 152
Des Jahres letzte Stunde
(Johann Heinrich Voß) 146
Knecht Ruprecht
(Theodor Storm) 39
Laßt uns froh und munter sein 48
Leise rieselt der Schnee 23
Morgen kommt der Weihnachts-
mann 56
Morgen, Kinder wird's was
geben 65
Neujahrsglocken
(Conrad Ferdinand Meyer) 157
Nußknacker und Mausekönig
(E. T. A. Hoffmann) 42
O du fröhliche, o du selige 118
O Tannenbaum 80
Stille Nacht, heilige Nacht 95
Der Traum *(August Heinrich Hoff-
mann von Fallersleben)* 37
Verse zum Advent
(Theodor Fontane) 22

Weihnacht in der Großstadt
(Adalbert Stifter) 62
Weihnachten *(Joseph Freiherr von
Eichendorff)* 117
Weihnachtsabend
(Theodor Storm) 53
Das Weihnachtsbäumchen
(Christian Morgenstern) 91
Eine Weihnachtsgeschichte
(Selma Lagerlöf) 103

160